響け! ユーフォニアム
北宇治高校吹奏楽部へようこそ

武田綾乃

宝島社
文庫

宝島社

目次

響け！　ユーフォニアム

北宇治高校吹奏楽部へようこそ

プロローグ

何百という顔が、一様に同じ方向を見つめていた。広場に渦巻く熱を帯びた空気が、少女たちの頬を赤く染め上げる。はやる気持ちを抑えようと、久美子《くみこ》はゆっくりと息を吐き出した。どくどくと、心臓の鼓動が鼓膜を打つ。握り締めた手のひらは汗で張りつき、食い込んだ爪先が皮膚の上に三日月形の痕を作った。

「緊張で死ぬかもしれへん」

隣にいた梓《あずさ》が、こらえきれないといった様子でポツリとつぶやいた。私も、と答えながら久美子はぐっと目を見開く。

京都府吹奏楽コンクール。

立て看板に並ぶシンプルな文字。中学校に入ってから、このホールに来るのは三度目だ。関西大会を目指す。その目標を掲げていままでやってきた。久美子の拳にも、知らず知らずのうちに力がこもる。

「来たっ」

誰からともなく声が漏れた。大きな紙を抱えた男たちが、ゆっくりと前へ進み出る。皆の視線がそこに集中する。胸のなかでは心臓が蚤《のみ》みたいに飛び跳ねていた。頭に熱が回って卒倒しそうだ。紅潮した頬を両手で押さえ、久美子もまたその紙を見つめた。

男たちの手で、ゆっくりと紙が広げられる。並んだ中学校名。その隣に書かれた、金、銀、銅の文字。自分の中学校は……そう考えるより先に、梓が歓声を上げた。

「金や！」

それに感染したかのように、あちこちで黄色い悲鳴が上がる。やった！　金だ！　叫ぶ学校に、沈黙する学校。結果というシビアな現実が、目の前に叩《たた》きつけられる。お葬式のような雰囲気の隣の学校の生徒たちを目にして、久美子は素直に喜ぶことを一瞬ためらった。

「久美子！　何ぼーっとしてんの！　金やで金！」

いきなり梓に抱きつかれ、久美子もそこでようやく笑みをこぼした。

「……うん、よかった」

「うち、麻美《あさみ》に報告してくる。あの子緊張しすぎてトイレに引きこもってたから」

「わかった、撤収に遅れないようにね」

「了解！」

梓は元気よく返事すると、ホールのなかへと駆けていった。ひとつに束ねた黒髪が、動きに合わせて揺れている。久美子は握り締めていた拳をそっと開くと、再び結果の書かれた紙面を見やった。自分の中学校の名前の隣には確かに金賞と記載されている。

金は金でも関西大会には進めないダメ金だけど、まあでも金賞なら及第点だ。顧問の顔をちらりと見ると、満足そうな顔で手を叩いていた。よかった、金だ！　久美子のなかにもじわじわと実感が湧いてくる。ほう、と安堵《あんど》の息を吐くと、途端に膝から力が抜けた。緊張していたのだな、と改めて思った。

よかったね。同じ楽器のメンバーにそう告げようとして、そこで久美子は視界のなかに違和感を覚えた。その原因を探して視線をさまよわせていると、不意に麗奈《れいな》と目が合った。トランペットを握り締めた彼女は、笑顔ひとつ見せずただじっとそこに立ち尽くしていた。

「泣くほどうれしかったの？」

おずおずとした久美子の問いかけに、麗奈は無言で首を横に振った。意志の強さを感じさせるその大きな瞳には、薄く涙の膜が張っていた。

「……ぃ」

「え？」

聞き返した久美子に対し、麗奈は今度ははっきりと言った。

「悔しい。悔しくって死にそう。なんでみんな金賞なんかで喜べんの？　アタシら、全国目指してたのに」

その目からぼろぼろと涙がこぼれ落ちていく。それから逃れるように、久美子はとっさに目を逸《そ》らした。顔が燃えるように熱い。金だと安堵した自分が恥ずかしかった。

「……本気で全国行けると思ってたの？」

麗奈は乱暴な手で目元を拭うと、フンと鼻を鳴らした。薄桃色の唇が苛立《いらだ》たしげに上下する。まるでこちらをなじるみたいに。

「アンタは悔しくないわけ？」

吐き出された声が、久美子の心臓にまっすぐに突き刺さる。

「アタシは悔しい。めっちゃ悔しいねん」

絞り出すように告げられたその声は、久美子の脳にいやにはっきりと刻み込まれた。

中学生最後のコンクール。

そのときのことを考えると、久美子はいつだって彼女の瞳を思い出す。そしてそれを思い出すたびに、久美子は無性にあの夏から逃げ出したくなるのだった。

一　よろしくユーフォニアム

膝上でそろえられた紺色のスカート。そこから伸びる白い脚が、体育館にずらりと並ぶ。細い脚。太い脚。詰襟姿の少年たちは、落ち着きもなく、ちらりちらりとそちらへ熱心な視線を送っていた。少女たちはそんなことに気づく様子もなく、瑞々《みずみず》しい肌を惜しみなくさらしている。それらをぼんやりと眺めながら、久美子は自身の姿を見下ろした。紺色のセーラー服に身を包んだ、貧相な体躯《たいく》の少女。高校に入ったら胸が大きくなるなんて噂話《うわさばなし》をどうして信じてしまったのだろう。隣に立つ少女の、布越しにもわかる豊満な曲線を一瞥《いちべつ》し、久美子は静かにため息をついた。

京都府立北宇治《きたうじ》高校は、制服が可愛いことで有名だ。宇治市で唯一のセーラー服は、他校からも評判がいい。学力は中の上。進学実績も特別いいわけではない。そんな高校を久美子が選んだ理由が、この制服だった。同じような条件の高校に行くのならば、やはり制服の可愛い学校がいい。そんな不純な動機で高校を決めたものの、いざその制服を自分で着るとたいして可愛く見えないから不思議である。もっと美人に生まれていたらなあというのが、久美子の最近の悩みだ。

「続きまして、校歌斉唱。一同ご起立ください」

教頭の言葉に周りが一斉に動き出す。その波に乗り遅れないよう、久美子も立ち上がる。壇上には新入生用に校歌の書かれた紙が掲げられていた。中学時代に校歌を歌っている生徒などほとんどいなかったのだが、高校ではどうなのだろうか。自分一人だけが浮いてしまわないよう、久美子はそっと辺りを見回す。周りの新入生たちも皆どことなく不安そうな顔をしているように見える。お互いの様子をうかがっているのだろう。

ステージの下では吹奏楽部が真剣な表情で楽器を構えている。指揮棒を構えているのは、怖い顔をした女子生徒だった。蛍光灯の下で、金色のユーフォニアムが輝く。それを見て、久美子は一瞬だけ息を呑《の》んだ。指揮者の手が振り上げられる。その瞬間、楽器が一斉に顔を上げた。ぴかぴかと光るトランペットの群れが、まっすぐに久美子のほうを向く。部員たちの息を吸う音が、確かに聞こえた。指揮棒は一瞬だけピンと上を向き、それから下へと振り下ろされた。

「……これはヒドイ」

無意識のうちに、言葉が口を衝《つ》いていた。耳に飛び込んできたのは、とんでもない不協和音だった。不ぞろいなリズム、まばらなテンポ。指揮棒の動きと楽器の音がまったく合っていない。高校でも吹奏楽を続けようかと思っていたが、このレベルならやめておこう。関西大会どころか京都大会で金賞すら無理だ。

そんな久美子の思考をよそに、音楽はどんどんと進んでいく。壁側から教師たちの歌声が聞こえてくるものの、生徒のほうは誰も歌っていないようだった。やがて演奏は終わり、生徒は皆、着席する。式は順調に進行していったが、久美子の頭のなかは、これからの学校生活への不安と期待でいっぱいだった。部活はどこに入ろう。友人はできるだろうか。担任はどんな人だろう。

「続きまして、新入生の挨拶です。新入生代表、高坂《こうさか》麗奈」

聞き覚えのある名前を耳にし、久美子はハッと顔を上げた。はい、と凛《りん》とした声が体育館に響き、セーラー服姿の美少女が立ち上がった。艶のある長い黒髪、こぼれ落ちんばかりの大きな瞳。ピンとまっすぐに伸ばされた背中が、彼女の自信を表していた。

高坂麗奈。

久美子と彼女とは同じ中学で、同じ吹奏楽部に入っていた。成績優秀と、教師のあいだでも評判の高かった彼女なら、新入生代表でもなんらおかしくない。だが、麗奈ほどの頭脳があればもっと上の高校でも入れただろうに、どうしてこの学校を選んだのだろう。まさか自分と同じように制服で進路を選んだわけでもあるまい。久美子が首をひねっていると、不意に麗奈がこちらを向いた。黒曜石のような瞳が、じっとこちらを見つめる。もしかして、見られている？　二人の視線がはっきりと交わる。それは一瞬で、しかし久美子にはとても長い時間に思われた。麗奈はふと口元を緩めると、何事もなかったかのようにその視線を正面へと向けた。彼女の唇が動き、そこから淀《よど》みなく言葉が流れ出す。新入生代表。その華々しい称号を脳内で繰り返し、久美子は小さく息を吐いた。


「なあ！　あんたなんて名前なん？」

　一年三組の教室に入り、席に着いた瞬間そう声をかけられた。隣を見ると、短髪の少女がこちらを向いてニッと笑った。薄い唇の隙間から白い歯がのぞく。日に焼けた褐色の肌は、彼女が運動部に所属していたことをほのめかしていた。いままであまり関わったことのないタイプの人間だ。久美子は動揺を隠すように、曖昧に微笑んだ。

「黄前《おうまえ》久美子だよ」

「久美子って言うん？　うち加藤葉月《かとうはづき》。加藤でも葉月でも、テキトーに呼んでくれたらええで」

　葉月はそう言って、机から身を乗り出した。なれなれしい子だなあと思いながらも、久美子もそちらへと向き直る。

「で、久美子ってどこ中なん？　東中じゃないよなあ？」

「北中だよ」

「北中？　珍しいなあ」

　驚いた様子で葉月は目を見張った。

「北宇治ってさあ、なんかわからんけど東中のやつばっかやねんなあ。あたしも東中やねんけど、顔見知り多すぎて高校来たって感じしいひん」

「じゃあ友達がいっぱいいるんだ。いいなあ、うらやましい」

「いやいやいや、全然よくないって。中学のころのこと知られてるって最悪やん。高校デビューとかしたら絶対ドン引かれるし」

「そんなことないでしょ」

「そんなことあるって。だからうち髪染めんの我慢してんの」

　ほんまは赤とかに染めたかってんけどさ。葉月はそう言って自身の髪を指に絡めた。それは高校デビューとかそういう域を超えている気がする。そう久美子は思ったが、口に出すのはやめておいた。

「っていうかさ、さっきから気になっててんけど、アンタなんで標準語なん？」

「うーん、東京に昔住んでたから。それでかな？」

「へえー、関西弁とかうつらんの？」

「家族もみんな標準語だから、あんまりうつらないかな。あ、でも一緒にいた友達は、逆に標準語がうつるーって言ってたよ」

「ふうん。じゃあうつらんように気をつけとこ」

葉月は頬杖《ほおづえ》をついたまま、あっけらかんとそう言った。彼女の右頬が引っ張られ、笑みのような表情が浮かぶ。久美子は何かを言おうと口を開いたが、そこでタイミング悪く教師が教室へと入ってきた。白い髪を後ろで束ねた、どことなく迫力のある女性だった。五十歳は軽く超えているだろう。教師は教室をギョロリと見渡すと、大きく咳払《せきばら》いした。

「席に着け」

静かな、しかし迫力のある声に、騒がしかった教室は途端に静まった。先ほどまで騒いでいた生徒たちは、そそくさと名簿順に割り振られた自分の席へと着く。おー、おっかない。葉月が小さくつぶやいた。

「高校生にもなって教室で馬鹿《ばか》騒ぎするというのは、あまり褒められたものではないな。高校は義務教育ではない。高校生としての自覚を持て」

熱を帯びていた空気が一瞬で冷え込むのがわかった。教師は呆《あき》れたように息を吐き出すと、その骨ばった手でチョークをつかんだ。緑色の黒板に、白い文字が浮かぶ。

「この一年三組を担任する松本美知恵《まつもとみちえ》だ。音楽を教えている。吹奏楽部の副顧問だ」

吹奏楽部。その言葉に、隣の葉月がピクリと反応した。

「先に言っておくが、私はこの学校でいちばん厳しい教師だと自負している。甘やかすつもりはないから覚悟しておけ」

美知恵はそう言い放つと、おもむろに黒いファイルを取り出した。

「まずは名前を確認する。呼ばれた者ははっきりと返事するように。——麻井雄大《あさいゆうだい》」

「はい！」

「石川有紀《いしかわゆき》」

「はい！」

中学のころは点呼で名を呼ばれても、みんなだらしなく手を上げるだけだった。しかし高校ともなると、ちゃんと返事をするようになるらしい。大人に近づくとルールに従順になるのか、あるいはこの先生が怖いからか。

「——黄前久美子」

「……あ、はい！」

考えているうちに危うく聞き逃すところだった。慌てて返事をした久美子に、教室内の空気が緩む。葉月がにやにやしながらこちらを見た。恥ずかしさで久美子は思わず顔を伏せる。

「——加藤葉月」

「はい！」

「川島《かわしま》……りょくき？」

そこで初めて美知恵の顔に困惑の色が浮かんだ。点呼に詰まった彼女の正面で、ふわふわとした猫っ毛の少女が、おずおずと手を上げた。

「す、すみません。それ、サファイアです。緑に輝くって書いて、サファイアって読みます」

サファイア？　と教室がざわめいた。彼女は自分の名前が恥ずかしいようで、ますます縮こまってしまった。華奢《きやしや》なその背中が小さくしぼむ。

「失礼、川島緑輝《サファイア》だな。以後間違えないようにする」

美知恵はそう言って、すぐさま次の点呼へと移っていった。ざわついていた教室もすぐにまた静かになる。それにしてもサファイアか。美少女じゃないと許されない名前だな。そんなことを考えながら、久美子は再び正面の少女へと視線をやった。残念ながら、後ろからではその顔は見えなかったが。

葉月が驚いたようにつぶやく。

「サファイアかー、カッコいい名前やな」

彼女の美的感覚は少々特殊だな。そう、久美子は思った。

では今日はこれで終わりにする。明日の実力テストに向けて、各々努力するように。

高校生活の最初の一日は、そんな担任の声で締めくくられた。どうしよう、勉強なんて受験が終わってからまったくやっていない。久美子は思わずため息をつく。

「久美子、どこ住んでるん？　一緒に帰ろうや」

スクールバッグに教科書を詰めていると、準備万端の葉月が目の前に立っていた。黒い革製の鞄《かばん》から、トランペットのキーホルダーがぶら下がっている。

「私、平等院《びょうどういん》の近くに住んでるんだけど、方向一緒？」

「一緒やで。京阪《けいはん》で黄檗《おうばく》まで行くから」

「そうなんだ、じゃあ家近いね」

そう答えながら、久美子もまた立ち上がる。久美子の鞄には装飾品が何もついていない。そういうごちゃごちゃとしたものが、あまり好きではないのだ。

「葉月、中学は吹奏楽やってたの？　ラッパつけてるけど」

久美子は彼女のキーホルダーを指差した。葉月がカラカラと笑いながら首を振る。

「ちゃうよ。うちバリバリのテニス部やったから」

「雰囲気も運動部っぽいもんね」

「肌黒いからそう見えるんやろ。練習で焼けてん。ほんまはもっと白かってんで」

そう笑って、葉月は袖をまくって見せた。褐色の肌はあるところを境に白くなっている。いわゆるユニフォーム焼けというやつだろう。

「あ、でも高校入ったら吹部《すいぶ》に入るつもり。なんかおもろそうやし」

「そうなの？　私、中学のとき吹部だったよ」

「マジで？　高校でも続けんの？」

まだ決めてないよ。そう久美子が返事しようと口を開いたとき、別の言葉がそれを遮った。

「あの、二人も吹奏楽に入るつもりなん？」

葉月と久美子、二人の顔が声のほうへと向けられる。そこに立っていたのは、先ほどの猫っ毛の少女だった。彼女の名前は一度聞けば絶対に忘れないだろう。川島緑輝。一風変わった名前を持つ彼女は、柔和で優しげな顔立ちをしていた。

「あ、サファイアちゃん」

葉月が悪気ない様子でそう呼んだ。その瞬間、彼女の顔はゆで蛸《だこ》みたいに真っ赤になった。

「あ、あの、悪いんやけど、その、名前で呼ぶのはやめてほしい」

「えー、なんで？」

「自分の名前、嫌やから。恥ずかしいし」

「カッコいいやん、サファイアって！　うち好きやけどなー」

かしい」

「カッコいいと思う人もいるかもしれんけど、こんなん普通読めへんし、ほんま恥ず

緑輝はそう言って目を伏せた。久美子も心のなかで彼女の意見に同意する。もしも自分がこんな名前だったら、完全に名前負けしている。

「やから、緑《みどり》って呼んでほしい」

「緑ね！　オッケーわかった！」

葉月はこくこくとうなずくと、緑輝の背中を力強く叩いた。彼女なりのスキンシップなんだろうが、華奢な緑輝の身体がふらふらとよろめいている。

「で、緑はどこ中なん？　一緒に帰ろうや」

「一緒していいの？」

緑輝は伺いを立てるように、こちらをちらりと見た。久美子は笑みを浮かべると、もちろん、と大きくうなずいた。


昇降口を抜けると、辺りはうっすらと肌寒かった。校庭を囲むように植えられた桜の木は、すでに花弁を散らしている。ほっそりとした枝からは遠慮がちに緑色の芽が顔を出していた。通り過ぎていく学生たちは、散った桜になど興味がないのか、誰一人そこに注目していない。そろいの制服を着た彼らは、久美子には皆同じような顔を

しているように見えた。

「緑は聖女《せいじょ》に行っててん。小・中は私立やってんで」

スクールバッグを肩にかけ、緑輝は小さく笑った。聖女中等学園。その聞き覚えのある名前に、思わず久美子は反応する。

「聖女って、吹奏楽の超強豪校じゃん」

久美子の言葉に、葉月が驚いた顔をする。

「そうなん？」

「ほんとすごい学校だよ。全国大会の常連校だし」

「えー！　めっちゃすごいやん」

その言葉に、緑輝は照れたように頭をかいた。ふわふわとした髪は、日に透けると茶色に見える。

「緑がすごいんやなくて、顧問がすごかっただけやけどね」

「演奏に顧問とか関係あんの？　なんかみんなテキトーに吹いてるように見えるけど」

「テキトーじゃないよ。運動部の強さに指導者が影響するのと同じで、優秀な指導者がいれば吹部だって強くなるし」

「へえ、そういうもんなんや」

久美子の説明に、葉月は感心したようにうなずいた。靴底が小石にぶつかり、こつんと音を立てる。アスファルトで塗り固められた道路は滑らかで、草ひとつ見当たらない。

「緑はなんの楽器してたん？」

「緑はね、ずーーっとコントラバスひと筋」

「コントラバス？　何それ」

葉月の問いに、すねたように緑輝が頬を膨らませる。

「大きなバイオリンみたいな楽器！　すっごいカッコいいねん！」

「あ、そ、そうなん？」

緑輝の迫力に押されたように、葉月がうなずく。そんなやり取りを横目で見ながら、コントラバスか、と久美子はつぶやいた。緑輝の身長は久美子より十センチほど低い、だいたい一五〇センチほどだ。そんな彼女が二メートル近くあるあの大きな楽器を演奏するところというのは、どうにも想像できなかった。

「久美子ちゃんは？」

「え、」

「久美子ちゃんはなんの楽器やってたん？　中学、吹奏楽やったんやろ？」

考えごとをしているうちに、いつの間にか緑輝が隣にやってきていた。こちらの顔をのぞき込む彼女の仕草は、小動物を連想させて可愛らしい。

「私はユーフォだったよ」

「おー！　ユーフォ！」

「なんよＵＦＯって」

久美子の言葉に緑輝は目を輝かせ、葉月は怪訝《けげん》そうな顔をした。そもそもユーフォという楽器の存在自体を知らないのだろう。葉月のような反応に、久美子は慣れきっていた。

「ＵＦＯじゃなくて、ユーフォ。ユーフォニアムっていう低音の楽器のことだよ。……まあ、すごくマイナーな楽器だけどね」

「ふうーん。うちはやっぱ派手な楽器がやりたいなあ。トランペットとか、サックスとか」

「そう思っちゃうんは仕方ないなあ。低音の楽器って地味なん多いし。緑だって、吹部に入る前はフルートやりたいなーって思ってたもん」

緑輝はそう言って苦笑した。確かに彼女にはコントラバスよりもフルートのほうが似合う気がする。

「緑は高校でも吹部に入るつもりなの？」

「うん、そうだよ？」

あっさりと答えられ、久美子はやや面食らった。葉月がうれしそうに目を輝かせる。

「そうなんや！　じゃあこれから一緒の部活やん」

「でもさ、この学校の吹部って……なんというか、さ、」

言葉を濁した久美子の思考を読み取ったように、緑輝はその続きを紡いだ。

「へたくそやんな、演奏」

「そうなん？　うちには普通に聞こえたけど」

葉月が首をひねる。

高校の吹奏楽部の演奏レベルは年々上がっている。経験者である久美子たちと未経験者の葉月では、同じ演奏を耳にしても感じ方が違うのかもしれない。

彼女の反応に、緑輝が笑った。

「あのレベルやったら府大会でも銀賞取れるかどうかやと思うよ。関西どころか、ダメ金すら無理そうやし」

「ダメ金って、なんなん？」

「関西大会に行く高校って、金賞取った高校のなかから選ばれるんやけど、そこで次の大会に進めへんただの金賞のことを、ダメ金って言うねん」

ダメ金という言葉を聞くだけで、なんだか気分がどんよりとしてくる。話を逸らすように、久美子は緑輝に問いかけた。

「緑はもともと聖女にいたんでしょ？　あんなレベルの部活で我慢できる？」

目の前の少女は困ったように頬をかくと、そうやなーと考え込むような声を発した。

「緑はとにかく楽器ができたらいいから、あんなレベルでも気にしいひんよ。普通に楽しくやれたらいいかな」

「そっかあー」

「久美子ちゃんも吹部に入るん？」

「え？」

当然のように問われ、久美子は言葉を詰まらせた。まだどこの部活に入るかなんて決めていない。しかしそれを告げるのもはばかられる。一瞬、三人のあいだに微妙な沈黙が落ちた。それを破るように、葉月が久美子の肩に腕を絡める。

「久美子も吹部に入るんやんな？」

葉月が無邪気に尋ねてくる。そんな顔をして問われては、誰が否定できるだろうか。久美子はぎこちない笑みを浮かべると、諦めたようにうなずいた。

「う、うん……入るつもりだよ」

その回答に満足したのか、緑輝は口元を綻ばせた。

「よかったー。部活に友達できるかなーって、緑、心配やってん」

「三人で仲良くやってこな！」

葉月が溌剌《はつらつ》とそう告げる。二人が笑っているのを見ていると、自分の判断もそう間違っていないように思えてきた。他人に流されるのも悪くはないかもしれない。そう思いながらも、入学式の吹奏楽部の演奏を思い出し、久美子は密かにため息をついた。

京阪宇治駅を出てすぐのところに、一本の橋が架けられている。それが宇治橋だ。橋の上からは塔《とう》の島《しま》へと架かる朱色の橋々が見え、早朝の散歩に行くと観光地らしい風光明媚《ふうこうめいび》な景色を堪能できる。そこから橋を渡り左に曲がると、平等院通りへつながっている。歴史ある茶屋や和菓子屋が並ぶこの通りは、久美子の大のお気に入りだった。風に乗って漂ってくるほうじ茶の香ばしい香りは、それだけで久美子の胸をいっぱいにした。石畳の道を進むと平等院の入口が見えてくる。入場料を払わないとなかへ入ることができないから、本殿は見えないけれど。

「お前、北宇治やってんな」

ご機嫌で歩いていた久美子の背中に、そんな言葉とともに突然衝撃が走った。背中を押されたらしい。つんのめりそうになった姿勢を無理やり起こし、久美子はすぐさま振り返る。

「ちょっと、突然何すんの」

「いや、たまたま目に入ったし」

そう何食わぬ顔で答えたのは、久美子の幼馴染《おさななじみ》だった。塚本秀一《つかもとしゅういち》。身長一八〇センチの、細長男だ。中学校から久美子と同じ吹奏楽部に入り、しかもなんの因果か三年間同じクラスだった。高校では理系と文系でクラスが違うので、さすがに同じクラスにはならなかったが。

「お前、北宇治行くとか言ってなかったやん」

「いいでしょべつに」

「ふつう言うやろ？　せっかく同じ高校になったんやから」

「ふーん？　ふつう、ねえ」

久美子は意味ありげに口端を吊《つ》り上げると、そのままくるりと踵《きびす》を返した。平等院通りから伸びるあじろぎの道は、宇治川沿いに作られており、これをたどっていくと久美子の住むマンションへと行き着くことができる。

「ちょっと待てって」

秀一は少し慌てた様子で、歩くスピードを速めて久美子の隣に並んだ。久美子と彼は同じマンションに住んでいるのだ。

「何怒ってんの？」

「何怒ってんの？　って、それ本気で言ってるわけ？」

秀一のほうは一切見ず、久美子は言葉を返す。彼は困った様子でうーんと腕組みをした。

「とくに心当たりはないけどなあー」

「はいそうですか。サヨウナラ」

そのまま立ち去ろうとした久美子の腕を、秀一は慌ててつかんだ。

「待て待て待て！　スルーはやめろや」

「そう言うなら過去のことを謝罪してください」

「うわ、なんやねん、そのよそよそしい感じ」

「べつによそよそしくないですけど」

「嘘《うそ》つけよ」

秀一が呆《あき》れたようにため息をつく。黒い詰襟姿の彼は、中学のころより縦に伸びた。昔は久美子よりも小さかったのに。見上げないと顔が見られないことに腹が立ち、久美子はその背中を思いきり叩いた。痛っ！　と、秀一がわざとらしくうめく。

「アンタ中三のとき私に言ったでしょ？　『しゃべってくんじゃねーよブス』って」

「あ、あれは……あれやであれ」

久美子の言葉に、秀一は明らかに動揺した。自身の言動を思い出したのだろうか。は？　と久美子はその背中をもう一度叩く。

「あれって何よ」

「それはお前、いきなりほかの男子がいる前で、今日飯食いに来るかとか言ってくるから。その、思春期の真っ最中やった俺は照れ隠しでなあ、」

「何その言い訳。私とごはん食べてるって知られたら困るわけ？」

「いや、そりゃあ困るというかなんというか……なんか恥ずかしいやん」

「ああそうですかわかりましたもういいです近づかないでください」

「そんな一気に言わんでええやろ！　なんなん？　もう一年たってんやから、いい加減許してくれや。母さんも悲しんでるで。最近、家に久美子が来てくれへんから」

「アンタが謝罪してくれたら考える」

「はいはいするする。ゴメンゴメン」

「うっわ、超ムカつく」

　怒りを隠そうともせず、久美子は眉間に皺《しわ》を寄せた。秀一は両手を合わせると、ゴメンゴメンと同じ言葉を繰り返した。大男が背中を丸めて謝り続けるその姿はなんだか滑稽だったので、久美子は諦めたように大きく息を吐いた。

「もういいよ、めんどくさいし」

「お！　許してくれんの？」

「べつに許すとは言ってないけど」

「あ、そうですか。すみません」

殊勝になった彼を一瞥し、久美子はスンと鼻を鳴らした。教科書の入った鞄を左肩へと持ち替える。速足だった歩みを緩め、彼女は小さく肩をすくめた。

「……あんた、高校じゃ何部に入るつもりなの？」

話題が変わったことに安堵したのか、秀一の表情があからさまに緩む。母親が買ってきたのであろう趣味の悪い彼のスニーカーが、石畳を蹴って小気味よい音を立てた。

「いま悩んでんねんなー、それが」

「どうせまた吹部なんでしょ？」

「またとか言うなや、またとか！　そういうお前はどこ入んねん」

「私？　私は……たぶん吹部かな」

「また吹部かよ。お前も他人のこと言えんやろ」

「私だって本当は入るつもりなかったし」

久美子は唇をとがらせる。

「じゃあなんで入んの？」

秀一がこちらの顔をのぞき込んでくる。久美子はなんとなく視線を逸らすと、曖昧に笑って返事をごまかした。しかし幼馴染はそれだけですべてを見抜いたらしい。

「もしかしてまたアレか？　周りに流された？」

「……まあ、そんなとこかな」

「お前もいい加減その性格直したほうがええんちゃう？　自分の意見言えんかったら困るやろうし」

「わかってるよ」

説教じみたことを言われ、久美子は口をつぐんだ。なんとなく、面白くない。

「まあでも、お前が入るなら俺も吹部入るし。楽器何しよっかなー」

秀一はあっさりそう言って、ぐっと伸びをした。白い手首が袖口からわずかにのぞく。猫みたいだ、となんとなく思った。

「そんなんで決めちゃっていいの？　部活」

「ええって。俺運動できひんし、選択肢ほとんどないからなあ」

「………………あっそ」

できるだけの素っ気なさを装って、久美子はつぶやいた。買ったばかりの焦げ茶色のローファーが夕陽を浴びて鈍く光る。目の前の少年は照れたように笑うと、それから白々しく話題を変えた。そういえばさ、うちのクラスにすごい美人がいたんやけど。その言葉に、久美子は思いっきり彼の背を蹴っ飛ばしてやった。


部活動が本格的に開始したのは、入学式から約二週間後、四月の終盤になってのことだった。音楽室に集められた吹奏楽部への入部希望者は、皆それぞれ不安そうな表情で席に着いている。その周りをぐるりと囲む、先輩らしき部員たち。そのなかには入学式のときに指揮棒を振っていた、あの怖そうな女子生徒も混じっていた。

「部長、もうこれ以上来なさそうです」

クラリネットを抱えた生徒が、彼女にささやくようにそう言った。久美子は頭だけを動かして、周りを見渡してみる。着席している生徒は三十人足らず、そのなかには久美子が知っている顔ぶれも混じっていた。

「そうかー、まあこんなもんかなあ？」

部長と呼ばれた少女は何かを考えるように顎をさすった。その首から大きめのサックスがぶら提がっている。バリトンサックスだ。彼女は教室の前へと歩み出ると、ふっと大きく息を吸った。

「えー、皆さん初めまして。うちはこの吹奏楽部の部長、小笠原晴香《おがさわらはるか》です。担当はバリサクなんで、サックスパート希望の人は関わることも多いと思います」

小笠原はそう言ってにこりと笑った。部長らしい芯の通った声だ。

「うちの吹奏楽部は歴史のある部活で、十年ぐらい前までは結構名の知れた強豪校でした。全国も出たことあります……まあ、いまは見る影もないって感じやけどね」

音楽室の壁には吹奏楽部の華々しい栄光が飾られている。関西大会連続出場、全国大会金賞……。額に入った写真はすっかり古くなっており、埃《ほこり》をかぶった過去はどことなく物悲しい。

「それでえーっと、じつは今年から顧問が変わりました。昨年は梨香子《りかこ》先生という人が顧問だったんですが、今年から産休に入らはりました。代わりに新しい顧問の先生が来てくれたんですが、うちらもまだその先生についてあんまよく知りません。始業式で挨拶してた滝《たき》先生って人なんやけど、今日はちょっと遅れて来はるそうです。あと、副顧問の美知恵先生は保護者説明会があるので、今日は部活には来はりません。先に一年生に言っておきますが、あの先生はめちゃくちゃ怖いんで怒らせないように気をつけましょう」

美知恵先生というのは、久美子の担任の教師だ。やはり怖い先生らしい。

「今日やることはまあ、楽器の振り分けです。さっきからこの教室に立ってる先輩たちは、各楽器の代表者です。いまから楽器の紹介をしていってもらうんで、高校から始める人たちは楽器を決める参考にしてください。あと、経験者は事前に申告するように。楽器にはそれぞれ相性というものがありますから、こちらも適性を考えて楽器を決めます。自分の希望する楽器じゃなくても文句言わんといてな」

小笠原はそう言うや否や、周りに立っていた生徒を自分の側へと呼び寄せた。最初に前に立ったのは、トランペットを持った美少女だった。さらさらとした黒髪は麗奈と同じだったが、その容姿から受ける印象は真逆だった。その姿はあまりに儚《はかな》げで、男子生徒ならば庇護欲《ひごよく》をかき立てられているところだろう。彼女は礼儀正しく控えめなお辞儀をすると、一瞬だけ小笠原のほうを一瞥した。緊張しているのだろうか、その頬はうっすらと色づいている。

「トランペットパートリーダーの中世古香織《なかせこかおり》です。トランペットは金管楽器のなかでも花形なので、説明しなくてもみんな知っていると思います。トランペットパートはいま六人いて、仲のいいパートです。ソロやメロディーも多いし、きっと楽しいと思います。経験者も未経験者も歓迎しますので、ぜひトランペットを希望してくださいね」

彼女の言葉に、皆が拍手する。香織のあとも楽器の紹介はどんどんと進んでいった。トロンボーン、ホルン、フルート、サックス、クラリネット、オーボエ、パーカッションヨン……。フルートやサックスといったメジャーな楽器は、誰がどう説明しようとも人気が集中するが、マイナーな楽器ほど倍率が下がる。中学のころはユーフォニアムを吹いていたが、高校になって違う楽器に挑戦するのもいいな。そんなことを考えながら、久美子は窓の外へと視線を移した。北校舎三階のいちばん端に位置するこの音楽室からは、運動場の様子がよく見える。グラウンドでは、野球部やサッカー部が意味不明なかけ声を発しながら駆け回っていた。体育会系の人間というのは苦手だ。何を考えているのか、よくわからないから。

「じゃ、次はユーフォの紹介です」

小笠原の声に、ハッと久美子は我に返る。銀色のユーフォを抱えながら登場したのは、赤縁眼鏡が印象的な、長身の美女だった。入学式のときに指揮棒を振っていた、あの女子生徒だ。切れ長の瞳のせいか、どことなく理知的な印象を受ける。彼女はクイと人差し指で眼鏡を持ち上げると、口端だけを吊り上げて見せた。

「低音パートリーダー、田中《たなか》あすかです。楽器は見てのとおり、ユーフォニアム担当です」

ユーフォ？　と、未経験者らしき生徒が首を傾げる。その反応は予想済みだったのか、そうです！　とあすかは力強くうなずいた。

「ユーフォニアムというのは、ピストン・バルブの装備された変ロ調のチューバのことを指します。この楽器の歴史はいまだにはっきりとしませんが、ヴァイマルのコンサートマスターであったフェルディナント・ゾンマーが発案したゾンメロフォンをもとに改良が加えられ、一般に使われるようになったという説や、ベルギー人のアドルフ・サックスが作ったサクソルン属のなかのピストン式バスの管を広げ、イギリスで開発が続けられ現在のユーフォニアムになったという説などがあります。もともとはEuphonion（オイフォニオン）と呼ばれていましたが、この名前はギリシア語の〝euphonos〟『良い響き』に由来します。良い響きという名のとおり、ユーフォニアムは低音部が広く、しかも柔らかい音を出せる非常に優れた楽器です！　日本におけるユーフォニアムの歴史は、あまり定かではありませんが、明治三年にイギリスよりユーホーニオンが到着したことにより始まりました。軍楽隊の伝習生は、当初イギリス式教育を受けましたが、明治三年に陸海軍が分離されたあと、海軍軍楽隊はイギリス式教育――のちにドイツ式教育、陸軍軍楽隊はフランス式教育を導入したため、ユーフォニアムに相当するパートに関しては、海軍ではユーフォニオン、バリトン、陸軍ではプチバス、小バス等とさまざまな名称で呼ばれていたのです。遺されている多くの画像によれば、いずれもおもにフランス式の楽器、サクソルンバスが使われていたことがわかりますが、一時期の海軍や音楽学校、各種音楽隊、学校教育における吹奏楽部などでは、指導者の方針により、ドイツ式バリトンやユーフォニアムなども使われていたのです。第二次世界大戦敗戦後に米国より導入されたスクールバンドの普及により、現在、日本において名称はユーフォニアム、またはユーフォニウムに定着し、楽器もイギリスで発展したピストン式のユーフォニアムが一般的になっていったのです。そして――」

「はいはい、もういい！　あすか、ウィキペディアで仕入れた情報をここで発表するのはええけど、せめて簡潔にまとめてからにしてな」

永遠に続くように思われた田中あすかの講演会は、部長のひと言によって遮られた。

先輩たちがとくに表情を崩していないところを見るに、これが彼女の平常運転らしい。言葉を中断させられたあすかは、不満そうに頬を膨らませた。

「えー、まだユーフォの魅力について全然お伝えできてへんねんけど！」

「いやいや、もう充分やって。はい次ー、チューバの人お願いしますー」

「まだ話し終わってへんのに……」

不満そうにしながらも、あすかはしぶしぶ端へと退いた。なんでこの人がパートリーダーなんだろうか。久美子のなかに当然の疑問が浮かんだ。

「……チューバ担当、後藤卓也《ごとうたくや》……です」

あすかに代わるようにして登場したのは、横にも縦にも大柄な男だった。饒舌《じょうぜつ》だった彼女と比較すると、なんとも暗い男だ。黒縁の眼鏡をかけた彼は、先ほどのユーフォニアムを何倍にもしたような楽器を抱えていた。金管楽器の最大サイズを誇る、チューバだ。

「チューバは、低音で、メロディーとかあんまりなくて……地味です。あと、重いです。十キロぐらいあるんで……。管の長さは、だいたい六メートルあります。マーチングのときは、スーザフォンっていう白いやつを使います……それも重いです……」

「………」

「………」

「え、終わり？」

小笠原が驚いた様子で目を見開いた。卓也が困ったように頭をかく。

「はあ、終わりです……」

「ちょっと後藤！　あんた全然チューバの魅力を伝えられてへんやん！　代わりにこの田中あすかがチューバの紹介を――」

「はいはい、アンタは黙っといて」

元気よく挙手したあすかの提案を、小笠原はあっさり却下した。

「本当は低音パートにはもうひとつ、コントラバスって楽器があるんですが、残念ながら去年の三年生が卒業してからいまはいなくなってしまいました。経験者の人がいたらぜひとも希望してほしいです。このままじゃほんとヤバイんで」

ちなみにコンバスってこれな！　とあすかが楽器を運んでくる。彼女の身体よりも大きな弦楽器に、おお、と未経験者が感嘆の声を上げた。

「経験者おらんの？」

小笠原が教室中を見回す。部長の問いかけに、教室の中央でほっそりとした手がおそるおそる上がった。緑輝だ。

「あ、あの、中学のときはコントラバスやってました」

その姿を見た瞬間、あすかの目が爛々《らんらん》と輝いた。楽器を部長に押しつけ、ズカズカと緑輝のもとへ歩み寄る。その勢いに圧倒されたのか、緑輝は目を見開いたまま凍りついている。彼女は乱暴にその手を取ると、ひしと強く握り締めた。その端整な横顔が緑輝に近づく。ばさりと肩へと流れた黒髪が、あすかの表情を覆い隠した。

「やってくれる？」

落とされた声は低く、どことなく艶めいていた。なぜだかこちらまでドキリとする。緑輝は惚《ほう》けた様子で目の前の先輩の顔を凝視していたが、はたと我に返ったらしい。その頬が見る間《ま》に紅葉《もみじ》色に染まる。

「は、はい。あの、緑でよければ、喜んでやります」

「それほんま？　やったー！　めっちゃ助かるわ」

先ほどまでの真剣な表情はどこへ行ったのか、あすかはへにゃりと屈託のない笑みを浮かべた。なるほど、これが彼女の人心掌握術か、と久美子は密かに分析をする。

「ってことで晴香、この子はうちがもらったから！」

「あー、はいはい。わかったわかった」

部長は楽器を床に置くと、ひらひらと手を振った。そのままピアノの上に載っていたノートを手に取る。部員名簿と書かれた薄っぺらいノートは、ずいぶんと使い込まれてすり切れていた。

「じゃあ、ほかのパートはこれから決めていくなー。一人一人希望聞いてくのめんどくさいから、各々やりたい楽器の代表のとこまで行ってください。落ちたら第二希望に回します。まあそういうことで、よろしく」

小笠原のざっくりとした指示に、一年生が動き出す。

「久美子、あんたなんの楽器にするん？」

後ろに座っていた葉月が、こちらに顔を寄せてきた。

「うーん、どうしようかな」

曖昧に言葉を濁し、久美子はあすかのほうを見やった。コントラバスに決まった緑輝はあすかのおもちゃにされているようで、なぜかほっぺたを引っ張られている。その隣に立つ卓也が呆れ顔であすかをなだめていた。

「あの先輩、めっちゃおもろいな」

葉月が愉快そうに喉を鳴らす。

「低音って、なんかキャラ濃いよね」

「そういうもんなん？　楽器の好みって性格出るんかもな」

「そうなのかな？」

「あたしは人を支えるより目立ちたいタイプやし、トランペットとかカッコいいのがええな」

そう言って葉月は香織のほうを指差した。トランペットに集まっている女子は、なんだか華やかな子が多い気がする。

「じゃ、並んでくるわ」

彼女は人のいい笑みを浮かべると、トランペット希望者の列へと混じっていった。ほとんどの生徒がすでに希望のパートの場所へと向かっている。教室の中央で右往左往しているのは久美子ぐらいだ。どうしよう。久美子はそっと息を吐き出す。この楽器を吹きたい。あの楽器がいい。そんな強い欲求が、久美子にはなかった。余った楽器をテキトーに割り振ってくれればいいのに。そうすればこんなにも悩まなくていいのに。目的地を探すように、久美子は自身の手のひらへと視線を落とす。細かに刻まれた皺は、名もない町の地図に似ていた。

「楽器、悩んでんの？」

突然声をかけられ、ハッとして顔を上げる。気づくと目の前にあすかの顔があり、久美子は飛び上がらんばかりに驚いた。

彼女は眼鏡を指でくいと持ち上げると、無遠慮にこちらをジロジロと見た。な、なんですか。思わず一歩後ずさる。

「うちのパートさ、さっきの子以外まだ一人も希望者来てないんやけど」

「あ、そうなんですか」

素直に相槌《あいづち》を打つと、なぜかあすかは眉根に皺を寄せた。目の前の先輩は自身の腕を組むと、ふう、とわざとらしくため息をつく。

「うちのパートさ、さっきの子以外まだ一人も希望者来てないんやけど」

「あ、はい。さっきも聞きました」

「うちのパートさ、さっきの子以外まだ一人も――」

「あの、なんで同じこと三回も繰り返すんですか？」

堪えられなくなって、久美子は思わず言葉を遮っていた。あすかは目を細めると、フッと自身の髪をかき上げた。

「アンタも鈍いなあー。うちに勧誘してるんやけど？」

「か、勧誘ですか？」

「そう、勧誘」

ユーフォニアムに興味ない？　彼女の唇がゆるりと弧を描く。

「いまうちのパートで残ってるのがユーフォとチューバだけやねんなあ。毎年不人気やから困ってるんやけど……どう？　希望ないならやってみいひん？」

「ユーフォですか」

「そう、ユーフォ」

久美子が返事を渋っていると、緑輝がとことことこちらへ歩み寄ってきた。胸元の白いリボンがちろりと揺れる。

「久美子ちゃんも低音なん？」

「えっ、」

「緑、うれしい！　知ってる子おらんかったら寂しいもん」

ね、と緑輝が小首を傾げる。どうやら彼女のなかでは久美子が低音に入ることは確定らしい。

「……わかった、ユーフォにするよ」

「よっしゃあ！　部員確保！」

あすかがしたり顔で指を鳴らした。

「同じ低音パートやし、よろしくな、久美子ちゃん！」

緑輝は無邪気な顔をして微笑んだ。その背後であすかがぼそりとつぶやく。

「……この子、使えるな」

「先輩、何企んでるんですか」

思わず久美子は問いただす。あすかはこちらを振り返ると、満面の笑みで「ん？　なんでもないよ？」と答えた。

「……そうですか」

どうやらこの先輩、ひと筋縄ではいかないらしい。

「さーてと、ほかの子はみんな希望の楽器のとこに行っちゃったし、うちらは第二希

「しゃあないやん、希望する子がおらんねんもん。チューバとかユーフォは毎年こうなっちゃうねんなあ……なんでかなあ、こんなカッコいいのに」

「第一希望から落ちた子をチューバに入れるんですか？」

望待ちやな」

中学時代も低音楽器は人気がなかった。吹奏楽部に入ろうとする生徒たちは、やはりカッコよくて目立つ楽器が好きらしい。そういう久美子も、小学校の金管バンドに入ると決めたときには、やはりトロンボーンがやりたいと考えていたものだった。ジャズの音楽に合わせてスライドが動く、あの仕草に憧れていたのだ。なんの因果か、結局ユーフォニアムに割り当てられてしまったのだけれど。

葉月のほうを見やると、ちょうど適性テストをしている真っ最中だった。金管楽器には吹き込み口となるマウスピースという部品がある。このサイズは小型の楽器ほど小さくなり、大型の楽器ほど大きくなる。チューバとトランペットのマウスピースを比較すると、大人と子供くらい違う。木管楽器と違い、金管楽器はこのマウスピースに触れた状態で唇を震わせる。金管は奏者の唇の振動により音を生み出すのだ。

しかし、この吹くという動作が、金管楽器初心者の第一関門だったりする。慣れてしまえば簡単なのだけれど、音を出すにはコツがいるのだ。リコーダーのようにただ息を吹き込むだけでは音が出ない。楽器を吹いているのに音が出ないというのはなかなかのストレスなようで、本当に吹けるのだろうかといじけてしまう子も少なくない。

「あー、音が出えへん！」

楽器を構えた葉月が不満そうに頬を膨らませている。その隣ではパートリーダーの香織が、頑張れと懸命に彼女を励ましている。ベルからは、ぶうーだとかすうーだとか、葉月の息の音だけが響いている。鳴るまでに一日はかかりそうだ。

「香織先輩って優しいんですねえ」

緑輝が感心したようにうなずいた。そりゃそうやん、となぜかあすかが胸を張る。

「あの子はうちの吹部のマドンナやからねー。もうモテモテよ」

「モテモテって……ちなみに誰からですか？」

聞かなくともなんとなく予想はついているが、おそるおそる聞いてみる。

「何言ってんの、そんなもん女子からに決まってるやろ」

ケラケラと笑いながら、あすかは答えた。そうですか、と久美子は曖昧に笑いながらうなずく。

吹奏楽部というのは、ある種の特殊空間だ。基本的な男女比は一対九、厳密に言うと、女子の割合がもっと多くなることもしばしばだ。そんな空間で起こることといえば、同性へのアイドル視である。こういうときに、羨望と呼ぶには暑苦しすぎる視線を送られるのはたいてい、女子らしさを凝縮したような可愛らしい女か、あるいは男らしさに特化したカッコいい女である。残念ながら吹奏楽部にいる男子は男子として見なされることが少ないので、このアイドル視の対象にはならない。女子が周りに多くいるはずなのに吹奏楽部の男子に恋人がいないのはこのためだ……と、久美子は勝手に考えている。

「田中先輩も……、人気者、ですけどね」

突然背後から声がして、思わず久美子は「うわあ！」と身をのけ反らせた。振り返ると、無表情の卓也がすぐそばに立っていた。

「田中先輩……、この子、ユーフォ確定ですか？」

卓也はこちらを一切見ず、あすかにだけ声をかけた。そうやで？　と彼女はうなずく。

「田中先輩……ということは、後藤先輩はあすか先輩の後輩さんなんですか？」

緑輝が首をひねる。

「そうそう、コイツはまだ二年やから。仲良うしたってな」

その言葉に、久美子は慌てて頭を下げる。

「あ、黄前久美子です。よろしくお願いします」

「……後藤です」

彼はそれだけ言って、また黙り込んでしまった。けたけたとあすかが笑う。

「後藤は人見知りやからあんましゃべらへんねん。でもまあ気にしんといて」

「あ、はい」

そう久美子がうなずいた瞬間、教室をトランペットの音が貫いた。伸びやかな高音、響いたあとに残る柔らかな余韻。ほかの音とは明らかに違う、圧倒的な迫力。教室中の視線が、一斉に音の主へと向けられる。

その人物は表情ひとつ変えず、ゆるゆるとした動きでトランペットを唇から離した。

「……これでいいですか？」

そう高坂麗奈は言い放った。どうやらテストの一環で吹かされていたらしい。あ、うん、と、香織が少し気圧されたようにうなずく。

「高坂さん、うちの学校にはもったいないくらい上手やなあ。中学どこなん？」

小笠原が感心したように問う。北中です、と麗奈はにこりともせずに答えた。

「部活のほかに、教室にも通ってますけど」

「はー、それで上手いんかー。ちょっとびっくりしたわ」

「褒めてくださってありがとうございます、うれしいです」

まったくうれしくなさそうな顔をして、彼女は小さく頭を下げた。麗奈はいつだって礼儀正しいのに、表情で損している気がする。

「とりあえず全員一度は吹いてみたから、ペットのメンバー決めてくなー。えっと、定員は三名やから……高坂、吉沢《よしざわ》、糸田《いとだ》の三人で行くわ。落ちた子は二次募集に回ってー。はい、さっさと動く動く」

部長の言葉に、選ばれなかった生徒たちがうろうろと空いているスペースをさまよっている。そのなかには当然葉月の姿もあった。その様子をぼんやりと眺めながら、緑輝がつぶやく。

「葉月ちゃん、トランペットになれへんかってんねー」

「残念だね」

「ふうん？　緑ちゃん、あの子と友達なん？」

二人の会話を聞いて、あすかがそろりと近づいてくる。その張りつけたような笑みに、久美子はなんだか嫌な予感がした。しかし緑輝はとくに気にした様子はなく、そうですよ？　と素直にうなずいた。

「なるほどなるほど……」

あすかは顎をさすりながら、意味ありげな視線を久美子へと送ってきた。

「あの子、中学は吹部やなかったやろ？　さっき全然吹けてなかったし」

「テニス部だって言ってましたよ」

「ふうん？　じゃあ肺活量には問題ないな」

そうつぶやくや否や、あすかは緑輝の肩へと手を置いた。たったそれだけの行為で緑輝の頬がうっすらと色づく。

「なあ緑ちゃん、あの子もおんなじパートやったら楽しいと思わん？」

「そう思います！」

「チューバ希望の子がまだおらんし、誰か入ってくれへんと困んねんなあ……あの子って、チューバ向きやと思わん？　体力もありそうやし」

「確かに、葉月ちゃんはチューバに向いてるかもですね」

「じゃあちょっと、勧誘してきてくれへんかな？　先輩のうちからやったら無理強いしたみたいになるけど、友達の緑ちゃんからやったら相手も断りやすいやろうし」

「わかりました！　緑、葉月ちゃんにお願いしてきます！」

そう元気よく返事すると、緑輝は一目散に葉月のもとへと駆け寄っていった。そのまま肩を落としている彼女に抱きつく。遠目にはいまだトランペットに未練があるように見えるが、おそらくあと数分後には葉月も陥落しているだろう。

「……先輩、完全に緑を手なずけてますね」

久美子の言葉に、あすかはフフと笑みをこぼした。

「今年は素直で可愛い後輩がたくさん入ってきてくれてうれしいわ」

「たくさんって……もしかして私もそのなかに入ってます？」

「当然」

そう言って、あすかは眼鏡をくいと指先で持ち上げる。薄いレンズの向こう側で、感情の読めない黒い瞳がじっとこちらを見つめていた。

「期待してるで、久美子ちゃん」


全員の楽器が確定したのは、それから一時間ほどあとのことだった。低音パートには久美子、葉月、緑輝という一年三組トリオが集結している。トランペットの席には麗奈の姿が、そしてトロンボーンの席には秀一の姿があった。中学のころ、彼はホルン奏者だったのに。

「楽器も無事決まったんで、これから部活の方針について決めていきたいと思います」

小笠原がぐるりと音楽室を見渡す。今日が全員そろっての初めてのミーティングらしく、室内はすでに人であふれていた。二年や三年の生徒たちは気だるげな様子で雑談に勤しんでいる。八十人はいるであろう空間では、ひそやかな噂話もノイズの塊となって、しんとした空気をざわめかせた。

「ちょっと静かにー。ミーティングですよー！」

そんな小笠原の言葉を遮るように、扉ががらがらと音を立てた。

「おや、皆さんもうそろっていましたか」

「滝先生！」

　部長がうれしそうな声を上げた。

　スラリとした体躯に、シャツ越しでもわかる均整の取れた肉体。柔らかな印象を与えるその甘いマスクは、瞬く間に女子生徒たちの心をガッツリとつかんでいた。短く切りそろえられた黒髪が、灯りに反射してぱちぱちと瞬く。唇からちらりとのぞくその白い歯が、彼の爽やかさに拍車をかけていた。滝昇《のぼる》。年齢は三十四歳。二年五組の担任で、音楽を教えている。

「おお、今年はたくさん新入生が入ったんですね。三十人ぐらいですか？」

「二十八人です」

「では抜けていた楽器もそろいますね。助かります」

　滝はそう言って目を細めた。

「まずは自己紹介ですね。始業式でも挨拶させていただきましたので、私のことを知っている人も多いと思いますけど。私は今年からこの学校にやってきた、滝昇という者です。音楽教師をしています。本来ならばこちらの吹奏楽部で長く副顧問をされていた松本先生が顧問になるべきだと思ったのですが、本人たっての希望で私が顧問になりました。これからよろしくお願いします」

　そう言って滝は真摯な態度で腰を折った。子供に対しここまで深い礼をする人間を、久美子は知らない。生徒たちの拍手の音が音楽室に反響する。滝は顔を上げると、その口元をわずかに緩めた。

「毎年この時期に、生徒の皆さんにお願いしていることがあります」

彼はそう言って黒板に文字を書き込んでいく。深緑色の空間に連なる白色の文字たちは、パソコンで打ち出したみたいに異様なほど整っていた。

「私は生徒の自主性を重んじるというのをモットーにしています。今年一年間指導していくにあたって、まずは皆さんに今年度の目標を決めてほしいと思います」

全国大会出場。黒板に書かれた文字を滝は人差し指で指し示した。

「これが昨年度の皆さんの目標でしたよね？」

「……いやあの、先生、」

滝の言葉に、小笠原が恥ずかしそうに頭をかいた。

「それは目標というかアレですよ、単なるスローガンというかなんというか……みんな本気で行こうと思っていたわけではなくて……」

「ほう、なるほど。ではこれはなかったことにしましょう」

あっさりとそう言って、滝は黒板に大きなバツを描いた。文字をかき消すように引かれた、まっすぐでゆがみのない線。それを見るとなぜだか無性に息苦しさを覚え、久美子はそっと息を吐き出した。悔しかった。自身の夢を否定されたような、そんな気がして。中学時代の自分の姿が、唐突に脳裏に蘇る。馬鹿みたいだ。全国大会に行きたいだなんて、本気で思ったことないくせに。久美子は内心で自嘲した。

「ですが、そういうのは困りますね。達成する気のない目標ほど無駄なものはありませんよ」

　滝が困ったように腕を組んだ。

「私は目標を決めた以上、それに従って動きます。もしも皆さんが本気で全国に行きたいと思うならば当然練習も厳しくなりますし、反対に、出場して楽しい思い出を作るだけで充分だと思うなら、ハードな練習は必要ありません。私自身はどちらでもいいと考えていますので、自分たちの意思で決めてください」

「私たちで決めていいんですか？」

　部長は少し困惑しているようだった。滝が笑顔のままうなずく。「自分で決める」という耳あたりのいい言葉がいかに厄介であるか、この大人は知っているのだろうか。久美子は息を吐くと、密かに周囲の様子を探ってみる。自分の意見だけが浮いてしまわないようにするためだ。

　小笠原はふらふらと視線をさまよわせていたが、やがてはたとその存在に気がついたとでも言うように、あすかのほうを凝視した。我が低音パートの長は心得たと言わんばかりに、ニッと不穏な笑みを見せる。

「しゃあないし、うちが書記したるわ」

彼女はそう言って立ち上がった。さっすが副部長、と、教室の後方から野次が飛ぶ。

「あすか先輩って副部長なん？」

隣に座っていた葉月が耳打ちしてくる。そうみたいだね、そう相槌を打ちながら、久美子はあすかのほうを見やる。

「でも、目標ってどうやって決めたらええんやろ」

「あれでいいんちゃう？　多数決で」

「多数決、ねえ」

あすかの提案に、小笠原は小さく首をひねった。久美子には彼女が何かを危惧しているようにも見えた。

多数決。民主主義の構成原理でもある、集団で物を決めるときの例の方法のことだ。久美子はこの多数決というのがひどく苦手だった。生まれ落ちた瞬間から、久美子はこの多数決とやらに押し込められて生きてきた。多数派は強く、少数派は弱い。数は力となって、久美子のか細い声なんてあっという間に呑み込んでしまう。嫌だという言葉を、久美子は他人に告げられない。疎まれるのが怖いから。脳味噌《のうみそ》を空っぽにして、多数派を装って。そういうズルい自分自身が、久美子は大嫌いだったりする。

「でもそれ以外に決めれへんくない？」

あすかは言った。確かに、と小笠原が答える。

「じゃあもういいやん。パッパーと決めようや」

何が気に入ったのか、久美子の後ろで緑輝がパッパーと小声で繰り返す。小笠原は逡巡《しゅんじゅん》するように黙り込んでいたが、やがて、しゃあないな、とつぶやくと、教室をぐるりと見回した。

「えー、じゃあいまから多数決を取りまーす」

「集計はうちに任せて！」

あすかがなぜか胸を張る。

「どちらを今年の目標にするか、自分の希望に手を上げてください。全国大会に行くか、のんびり大会に出るだけで満足するか、です」

小笠原の言葉に久美子は頬杖をついた。こういうとき、じつは何を選ぶべきかはすでに決まっているのだ。大人がいるなかで提示される選択肢、子供はそのなかでもっとも正しいものを選ばなくてはならない。世間的に正しいもの、社会的に正しいもの。それらは自然に淘汰《とうた》され、各々の胸のなかで選ぶべき答えは絞られる。

「ではまず、全国大会を目標にする、を希望する人。挙手してください」

その言葉に、一斉に生徒たちの手が上がる。トップコートで飾りつけられた桃色の爪が、蛍光灯の光できらきらと瞬く。そんなに長い爪では楽器も吹きにくいだろうに。

そんなことを考えながら、久美子もまた手を上げた。ほとんどの人間が挙手したのを見て、あすかは黒板に物を書くことを諦めた。結果が明らかだからだろう。

「では次に、京都大会で満足な人」

その言葉に、教室の中央でぽつんとひとつ手が上がる。紺色の袖からのぞく白い手が、ぴんと空に向けられた。その人物を見て、小笠原が息を呑む。

「葵《あおい》……」

彼女は驚いたようだった。その瞳が大きく見開かれる。その正面で、久美子もまた息を呑んだ。

斎藤《さいとう》葵。

目に入ってきた人物は、久美子にとってあまりに馴染み深い人物だった。

「えー、後者は葵だけね」

あすかがそう言って黒板に文字を書き込んだ。正に成り得ない歪《いびつ》な一本線が、黒板に引っかかれる。小笠原は苦々しげに顔をゆがめたが、しかしそれも一瞬だった。彼女は前髪をかき上げると、普段と変わらない表情で黒板を一瞥した。何かに感づいたように、あすかがわずかに目を細める。

「多数決の結果、全国大会を目標に練習に励むことになりました」

部長の言葉に、生徒たちからパラパラと拍手が起こる。結果に満足したのか、滝も穏やかな表情で拍手していた。彼は静かに立ち上がると、口を開いたあすかを手で制し、教室中を見渡した。

「いま決めた目標は、皆さんが自身の手で決めたものです。反対の人もいましたし、内心で反対している人もいるかもしれません。しかし、これは皆さんが決めたことです。私は皆さんの目標が達成できるように尽力しますが、私ができることはただ皆さんに指示することだけです。それを忘れないでください。皆さん自身が努力しなくては、決して夢は叶《かな》わないのです」

わかりましたか？

その言葉に、教室には沈黙が落ちた。なんで誰も何も言わないのだろう。久美子が居心地の悪さに身をよじらせていると、滝がパンと手を打った。

「何をぼーっとしてるんです？　返事は？」

顧問の鋭い声に、一拍置いてあちこちからまばらな返事が返ってくる。もしかして、と久美子は眉をひそめた。

もしかして、この部活は顧問への返事の習慣すらないのだろうか？

「返事が遅いですよ、もう一度言います。……皆さん、わかりましたか？」

滝の声に、今度こそ一丸となった声が響いた。

今日はこれで終了です。お疲れ様でした。

凜とした部長の声を合図に、この日の部活動は終了した。お疲れー。お疲れ様でした。あちこちで飛び交う挨拶を聞き流しながら、久美子は慌てて彼女の背中を探した。焦燥が肺を支配し、ピリピリと喉を焦がす。見覚えのある後ろ姿を見つけたとき、久美子は思わず手を伸ばしていた。

「待って！　あおっ、……斎藤先輩、」

その言葉に、葵はゆっくりと振り返った。肩にかかる黒髪が緩やかな波を描いている。彼女はこちらを一瞥すると、動揺したように目を見張った。

「……久美子ちゃん？」

「久しぶり……です」

つたない敬語を操る一年生に、三年生はくすりと笑みをこぼした。彼女は久美子の手をそっと自身の肩から外すと、窓の外へと視線をやった。

「……一緒に帰る？」

その提案に、久美子は食いつかんばかりにうなずいた。

「葵ちゃん、北宇治だったんだね」

久美子の言葉に、葵は小さく微笑んだ。彼女は久美子の家の近所に住む、ふたつ上のお姉さんだった。小学生のころは近所のよしみでよく一緒に遊んだものだが、葵が中学へと進学したころからあまり関わらなくなってしまった。昔は見上げてばかりだった彼女の背丈も、いまでは久美子とそう変わらない。いや、むしろ久美子のほうが高いかもしれない。葵は幼いころから自慢にしていた美しい黒髪を指先で払うと、いやに大人っぽい仕草で首をすくめた。

「本当は堀山《ほりやま》高校に行きたかってんけど、落ちちゃってん」

「あ、そうなんだ」

堀山高校といえば京都府で一、二を争う超進学校だ。葵は昔から優秀な子供だったが、いまもそうであるらしい。

「っていうか、先輩に対してタメ口でいいのかな」

久美子の言葉に、葵はひらひらと手を振った。

「いいのいいの。久美子ちゃんに敬語でしゃべられたらなんか気持ち悪いし。あ、でもみんながいるときは敬語でしゃべってや」

「うん、わかった」

先輩の言葉に、久美子は素直にうなずいた。葵は口元を手で覆うと、ふふ、と上品な笑みをこぼす。その肩にかかるスクールバッグが、重さのあまりギシリとうめいた。

「葵ちゃん、さっきなんで手を上げたの？」

「さっきって？」

「全国行くつもりか聞かれたやつ」

真面目に答える人なんていないんだから、わざわざあそこで挙手しなくてもよかったんじゃない？

久美子の問いかけに、葵は静かに目を伏せた。黒いアスファルトに、二人分の影が落ちる。肌寒さすら感じる春風が、二人のあいだを吹き抜けた。とくに意味もなく、久美子はスカートの裾を指で払う。買ったばかりの制服には、いまだ皺ひとつない。

「アリバイ作り、かな」

葵は言った。

「アリバイ？」

久美子は問う。彼女は愉《たの》しげにうなずくと、同じ言葉を繰り返した。

「そう、アリバイ」

葵のスクールバッグには、可愛いのか可愛くないのかよくわからないキーホルダーがぶら下がっていた。歪な兎《うさぎ》の安っぽい瞳が、じっとこちらを見つめている。

「辞めるときにさ、意見は前から伝えてましたって言えるやん」

「葵ちゃん、部活辞めるつもりなん？」

思わず声がうわずった。目を見開いた久美子に、葵が苦笑する。

「さあ？　いまんとこはわからんけど」

「なんで？　せっかくいままで続けてきたのに」

「だってさあ、」

彼女はそこで言葉を切った。

「だって、部活で大学には行けへんし」

何気ない態度で厳重にコーティングされたその声からは、焦燥と自嘲がほんの少しだけのぞいていた。がたがたがた。鞄のなかで手つかずの参考書が揺れている。

「葵ちゃんはどこの大学に行くの？」

「さあ？　まだ決めてへん」

嘘だ、と久美子は直感的に思った。テスト勉強やった？　全然やってないよ。そんな薄っぺらい会話ぐらい、彼女の言葉は胡散《うさん》くさい。学生特有の、自尊心を守る頼りない予防線。久美子はそれに気づかないふりをして、曖昧な笑みを浮かべた。

「そうなんだ」

「久美子ちゃんも気をつけたほうがいいで」

三年間なんてあっという間やから。

吐き出された言葉は耳障りな響きをまとって、久美子の鼓膜にこびりついた。

二　ただいまフェスティバル

低音パートの練習場所は、音楽室の隣にある教室だった。三年三組と書き込まれた白いプラスチックプレートは、埃をかぶってぼやけていた。

「低音は楽器でかいからな、負担を減らしたろうってという配慮やで」

あすかはそう言って、自身の楽器を指でなぞった。白銀のユーフォニアムは、あすかの私物らしい。サイズの大きな低音楽器は、お値段のほうもなかなかすごいはずだ。

「練習は六月からが平日は十九時まで、十月以降が十八時三十分までって感じやな。ま、チャイムが鳴ったら片づけたらええよ」

久美子の中学も部の活動時間は同じようなものだった。平日の練習内容は高校も変わらないようだ。

「基本的に普段の練習はここでやる。合奏は本番が近くなるまではなかなかやらんから、とりあえず普段は基礎練から始めて楽譜の練習してな」

「基礎練って、何をやるんですか？」

　初心者である葉月が尋ねる。緑輝はあすかの話など興味なさげに、窓の向こう側を凝視していた。うわー、こっから桜が見える！　硝子《ガラス》の向こう側へと手を伸ばす彼女を、卓也がぼんやりと眺めている。

「基本的にはロングトーンとかやなあ。初心者はとくに音を安定させんとあかんから」

「ロングトーン……ってなんですか？」

「あー、まあそこらへんはあとで説明するわ。それより先にメンバー紹介からやな」

　あすかは威勢よく立ち上がると、楽しげに教卓を叩いた。思いのほか衝撃を受けたようで、痛い！　とうめく彼女に、卓也がそっと保冷剤を渡していた。

「えー、気を取り直しまして、紹介していきましょう」

　あすかの言葉に、机に突っ伏していた少女がのろのろと顔を上げた。その眼前に指を突きつけ、あすかは言った。

「いま寝てるコイツが中川夏紀《なかがわなつき》、二年生のユーフォ！」

「……よろしく」

　夏紀は器用にも首から上だけを小さく動かした。その白目がちの瞳がぎょろりと動く。

「で、こっちにいるのが二年生の長瀬梨子《ながせりこ》、チューバをやってる」

「よろしくね」

指差された少女は人のよさそうな笑みを浮かべた。先ほどの女子生徒と比べると、ずいぶんと感じがいい。

「低音パートは、うち、後藤、夏紀、梨子、あとは一年生三人を入れて、全員で七人いる。去年まではユーフォにもコンバスにももっと人がおってんけど、卒業したり辞めちゃったりしたわけ」

「この部活って二年生少ないですよね？　緑、不思議に思ってたんです」

「え、そうなの？」

久美子が問うと、緑輝はこくりとうなずいた。

「三年が三十五人、二年が十八人、一年が二十八人……って感じじゃありませんでした？」

「そうそう、よう覚えてるなあ」

あすかが感心したようにうなずいた。確かに、言われてみれば二年生だけ極端に少ない。

「なんでそんなに少ないんですか？」

好奇心に流されるがままに、問いが口を飛び出した。闇色をしたあすかの瞳が一瞬だけ温度をなくす。赤縁の眼鏡越しにのぞく長い睫毛《まつげ》がゆっくりと上下した。その口端が、わずかにゆがむ。

「それは――」

「理由なんてない」

あすかの言葉を遮るように、卓也はそう言い放った。

「一年生が気にすることない。知らなくていい」

大柄な彼に見下ろされ、久美子はぐっと息を呑んだ。いつもは穏やかなその瞳に、剣呑《けんのん》な光が宿る。緑輝は驚いたのか、ひっと久美子の背中に隠れてしまった。葉月だけがムッとした様子で唇をとがらせた。

「何その言い方、感じわるー」

「ちょっと葉月、」

慌てて制止する久美子に、夏紀がにたりと笑った。

「ソイツ、田中先輩に弱いだけやから。気にせんでええで」

「中川黙れ」

卓也が夏紀をにらみつける。

「おお怖い怖い、ホントのこと言っただけやのに」

「夏紀、やめなよ」

梨子が控えめに彼女のシャツの裾を引っ張った。夏紀はつまらなそうに同級生の顔を一瞥し、それからフンと鼻を鳴らした。そして、すねたように再び机へと突っ伏す。卓也は呆れたようにため息をつき、梨子はオロオロとあすかの顔を見つめている。どうやら二年生同士はあまり仲がよくないらしい。

「まあまあ、そんなピリピリせんといてえや」

空気を和らげるように、あすかがパンパンと手を叩いた。

「とりあえず挨拶も済んだし、楽器選ぼうか。マイ楽器持ってる人はおらんよな?」

「マイガッキ?　自分の楽器ってことですか?」

葉月が尋ねる。

「そうそう、まあ低音で自分の楽器を持ってる人はなかなかおらんけどな。ペットとかフルートとかなら結構いるけど」

「そうなんですか」

葉月が納得したようにうなずいている。低音パートは大きな楽器だらけだから、自分で買うのには向いていない。気軽に家に持って帰ることができないからだ。高価なものも多く、百万円を超えるものもある。筆箱サイズのフルートやクラリネットを鞄に入れて家に持って帰る生徒たちを見ると、久美子はいつもうらやましく思う。

「楽器はとりあえず音楽室の横の楽器室に置いてあるから、いまからどの楽器を吹くか決めてくな」

あすかはそう言って教室を出ていく。久美子たちも慌ててそのあとを追った。音楽室を出てすぐの場所には手洗い場があり、トランペットパートの生徒たちがマウスピースを洗っていた。そのなかには麗奈の姿もあった。彼女が抱えている金メッキのトランペットは、中学時代に親から買ってもらったものだった。学校にある楽器とは明らかにその光沢が違う。

「あ、久美子」

呼びかけられ、久美子は立ち止まる。麗奈はあすかのほうをちらりと見やると、高校もユーフォなん？　と首を傾げた。うん、そうだよ、と、久美子は素直にうなずく。

「ふうん、そっか」

麗奈は無表情のままつぶやくと、そのままスタスタと立ち去ってしまった。

「いまの友達？」

葉月が尋ねてくる。

「うん、中学が同じだったの」

「トランペットの子やんな？　すっごい綺麗《きれい》！　胸もおっきいし。あー、眼福眼福！」

隣で緑輝はうっとりと頬を赤く染め上げている。可愛い顔をして、言っていることは完全におっさんである。

「ほら、あほなこと言ってんとさっさとついてくる！」

楽器室から顔を出し、あすかが叱責してくる。その声に、久美子たちは急いで楽器室へと足を踏み入れた。つん、と埃っぽい匂いが鼻につく。几帳面《きちょうめん》に並べられた楽器の山に、うわあと葉月が声を上げた。

「楽器室って、こんなんなってんねんなあー」

「そんな感心することはないけどな」

あすかが苦笑した。出入り口のところには、チューバのケースが四つ並べられている。ユーフォニアムは部屋中に設えられた棚の下の段に、肩身が狭そうに五つ並んでいた。コントラバスはチューバに寄り添うようにしてふたつ置いてある。いまの部員のことを考えると、楽器数が明らかに多い。昔はもっと部員数も多かったのかもしれない。

「うちの楽器は自分のやからケース自体違うけど、そのほかの楽器は同じタイプの楽器やから。間違えて夏紀の使わんようにしてな。ちなみに夏紀のはこの変な熊のストラップがついてるやつ」

あすかはそう言って、ケースのひとつを指差した。そこには確かに、やや色あせた間抜け面の黄色い熊がぶら下がっていた。黒の楽器ケースは一見するとまったく見分けがつかない。楽器を間違えるというトラブルをなくすために、自分の楽器に皆、目印をつけているのだ。ちなみにあすかの楽器ケースには持ち手に青いリボンが巻かれている。

「おすすめは右から二番目の楽器かな。四番ピストンが下のほうにあって押しやすい。うちと同じタイプ。金メッキで年季まああ入ってるけど」

「あ、じゃあ、それにします」

久美子はそう言って、勧められた楽器を手に取った。メッキがところどころ剥がれているが、中学時代のものに比べると大分綺麗だ。

「緑はこれにしますー」

しげしげと楽器を眺めていた久美子の隣で、緑輝がうれしそうな声を上げた。彼女がしがみついているのはコントラバスだ。

「名前はー、ジョージくんにする！」

「ジョ、ジョージ？」

「そう！　ジョージ！」

緑輝はそう言ってにこにこしている。葉月が不可解そうに頭を傾けた。

「楽器って、名前つけるもんなん？」

「つけてもええやん！　大事な楽器やねんし！」

「そ、そういうもんなん？」

葉月が疑わしげな目でこちらを見てくる。

「まあ、つける人も結構いるよ」

久美子はそう答えておいた。ジョージかあ、とあすかが腕を組む。

「なかなかええセンスしてんなあ」

「ありがとうございます！」

緑輝は恥ずかしそうに自身の頬を両の手のひらで挟み込んだ。そのあいだ、葉月は「これにします」と自分の楽器を選んでいた。チューバの楽器ケースには持ち運び用の車輪が備えつけられている。持って運ぶにはあまりにも重いからだ。初心者である葉月は先輩からケースの開け方をレクチャーしてもらい、真剣な表情でぶんぶんと頭を縦に振っていた。初めて受け取る楽器だ。うれしいのだろう。そんなことを考えながら、久美子もまた自身の楽器を取り出す。あすかのものとは違う、少しぼんやりした顔のユーフォニアム。名前、つけてみようかな。そんなことを漠然と考えながら、久美子はその表面を指先でなぞった。

鈍い金色の表面には、まだ幼さの残る自分の輪郭が映っていた。


「またユーフォなん？」

京阪宇治駅で下車した直後、突然背後から声をかけられた。久美子は振り返らず、スタスタとそのまま歩みを進める。

「え！　なんで無視すんねん」

そう言って肩をつかまれ、久美子はようやく振り返った。そこにいたのは案の定、秀一だった。彼は高校で配布された英単語帳を手に、ひらひらとこちらに手を振った。久美子は、はあ、とわざとらしくため息をつくと、眉間にわずかに皺を寄せた。

「べつに、無視してないけど」

「嘘やん！」

「ほんとほんと」

そう答え、久美子は手にしていた文庫本を閉じる。緑輝から借りたものだ。東京を舞台に少年少女たちが生き残りを賭けて殺し合うという、なんとも過激な内容の小説だ。顔に似合わず、彼女はこういうハードなものが好きらしい。

「そういえば、なんでトロンボーンなの？」

「何が？」

「楽器。中学はホルンだったのに」

あぁ、と秀一は笑った。その手のなかで、分厚い単語帳が揺れる。蛍光色の安っぽい付箋がぶるぶると震えた。そういえば明日もテストだ、と久美子は小さく息を吐いた。

「俺さ、ずっとホルンじゃなくてトロンボーンがよかってんな。中学はじゃんけん負けたけど、今回は勝ち取ったってわけ」

「ホルンもいいと思うけど」

「まあ好きやったけど、でもやっぱカッコいいやん！　トロンボーンって」

「まあね」

久美子もトロンボーンは好きだ。ほかの金管楽器と違い、トロンボーンはスライドを抜き差しすることにより演奏する。あの独特の動きが魅力的なのだ。

「麗奈もトランペットだよ。中学と一緒」

「あぁ、高坂な。そりゃアイツはペットひと筋やし」

秀一も麗奈も中学では同じ吹奏楽部に入っていた。といっても顔見知り程度で、そんなに親しかったわけではない。部員数が百人近かった北中の吹奏楽部では、名前しか知らない部員も多かった。同じパートでない限り、そこまで親しくする必要がなかったのだ。

「でも、なんかやな感じやんなー、北宇治の吹部」

「そう？」

秀一の言葉に久美子は首をひねる。まだパート練習しかしていないが、低音パートの居心地はそんなに悪いものではない。

秀一は肩をすくめると、逃げるように視線を宇治川へと逸らした。夕陽に照らされた川の表面では、光の粒がちらちらと飛び交っている。水の底をのぞき込もうと心なしか背筋を伸ばしてみるが、水面は暗く何も見えない。

「そりゃあまあ、低音王国はあれやしな。田中先輩の領地やし」

「何、低音王国って」

「俺もよう知らんけど、なんか先輩が言ってた。あそこは田中先輩が治めてるから荒れないって」

「ほかのパートは荒れてるの？」

「まあ、ここだけの話な」

秀一はそう言って、苦々しい笑みを浮かべた。げんなりしているようにも見える。

「北宇治の吹部ってさ、二年が極端に少ないやん？　なんでか知ってる？」

「あぁ、それちょっとお昼に話したよ。後藤先輩に邪魔されちゃったけど」

一年生が気にすることない。

卓也の言葉を思い出し、久美子は思わずため息をついた。あのときの先輩は明らかに不機嫌だった。そんなにもこの話題が嫌だったのだろうか。

「あれらしいで、なんかいまの三年とめっちゃ揉《も》めたらしい。もともとは三十人以上いた二年生が半数近くになったのは、大量に抜けてったからやねんて」

「なんで揉めたの？」

「それがさあ！」

　何を思い出したのか、興奮した様子で秀一が口を開く。普段は細い目も、このときばかりは大きく見開かれた。

「ほんま腹立つねんけど、三年ってみんな全然練習しよらんねん！　へったくそのくせに！　そのくせ後輩にサボんなってうっさいし！　……なんかそういう性格の悪さが原因で、二年生が――まあそのときはまだ一年やけど、先輩とすごい揉めたらしい」

「そうなの？」

　久美子はただ問い返すしかなかった。低音パートではそんなことを感じたことがなかったからだ。三年生であるあすかは誰よりもユーフォを愛しており、何が楽しいのか休憩ひとつ入れずにずっと楽器を吹き続けている。むしろ二年生の夏紀のほうがそのサボり癖は顕著だ。

　そう言うと、秀一は諦めたような笑みを浮かべた。

「そりゃ田中先輩は別やって！　あと、部長と香織先輩ね。あそこら辺は特例」

「香織先輩って、ペットの？」

「そうそう。優しくて美人で練習熱心とかすげえわ。うちのパートリーダーと取り換えてくれへんかな」

　秀一が真面目な顔で言う。

「滝先生は全国行くとか言ってたけど、たぶんあの三年生たちがいる限り無理や思う。あいつらが足引っ張ってんもん。せっかく今年の一年は粒ぞろいなのに」

　一回ぐらい全国行ってみたいなー。秀一がつぶやく。その視線は、ここではないどこか遠くの場所へと向けられている。中学のコンクールのことを思い出しているのだろうか。久美子もまた目を伏せる。全国大会出場を目標に掲げながら、北中吹奏楽部は結局地区大会止まりだった。最大限の努力をして、けれども夢は叶わなかった。それが現実だ。努力が報われるのなんて、本当にひと握りの人間だけ。神様の手のひらから漏れた子供たちは、失敗を重ねるごとにずる賢くなる。べつに立ち向かわなくてもいい、逃げればいいのだ。そうすれば楽して生きていける。

　自身の思考から逃れるように、久美子はそっと息を吐き出した。努力したって報われないならば、いっそ初めから頑張らなければいいのだ。そしたら傷つかなくても済む。テキトーに吹いて、テキトーに楽しんで。そんな部活動でいいじゃないか。そんなこと、口が裂けても秀一には言えないけれど。

　毎年五月になると、京都にある各高校の吹奏楽部が太陽《たいよう》公園でパレードを行う。広い公園を演奏しながら生徒たちが歩き回るのだ。太陽公園では多くの音楽イベントが行われており、このフェスティバルも毎年恒例のものだった。

「サンフェスですか?」

一向に鳴る気配を見せないチューバを抱き締めながら、葉月が首をひねった。そうやで、とあすかがうなずく。放課後の、パート練習でのことだった。

「略さず言うと、第二十三回サンライズフェスティバル、やけどな」

「二十三回もやってるんですねえ」

緑輝が感心したようにうなずいた。彼女は話を聞きながら、器用にも弓に松脂《まつやに》を塗っている。馬の尻尾《しっぽ》でできた弓は弦の上を滑りやすい。その滑り止めのような役割を果たすのがこの松脂だ。松脂を塗らないと、弓は弦の上を滑るだけで音が出ない。しかし初心者にはどれぐらい塗ればいいのかという感覚がつかみ難いらしく、塗りすぎて音がガサついてしまう人も多い。

「楽譜ってもう決まったんですか?」

卓也の問いに、あすかが大仰にうなずく。はい、これ。そう言って彼女が手渡してきたのは、印刷された楽譜だった。題名には『キャント・バイ・ミー・ラヴ』と書かれている。

「今回、一年生は経験者の子だけ演奏してもらうから、葉月ちゃんには楽譜配らんな」

「そうですか」

一人楽譜を受け取れなかった葉月がしゅんと肩を落とす。なんだか楽譜を受け取った自分が悪者みたいだ。久美子と緑輝は密かに視線を交わす。まあ、まだ満足に音を出すこともできないのだから、あすかの判断は当然なのだが。

「葉月はフェスで何するんですか？」

緑輝の問いに、夏紀がニヤニヤしながら答える。

「そりゃああれやで、毎年恒例の謎ステップやで」

「な、謎ステップ……」

葉月が不安そうな顔でこちらを見る。

「心配せんでも大丈夫。ただポンポンを持って後ろでステップしながらついてくるだけやし」

梨子が安心させるように微笑んだ。ポンポン……、とつぶやきながら、葉月がますます不安そうな顔をする。卓也は心配そうにそんな彼女を見つめていた。先ほどから口を開いたり閉じたりを繰り返している。口下手なのだろう。

「うちのパートには初心者少ないけど、ほかのパートにはいっぱいおるから心配せんでもいいよ。去年、そこの梨子と夏紀もやったから」

「夏紀先輩たちも初心者だったんですか？」

葉月がほっと顔を緩める。そうやでー、と夏紀はうなずいた。

「運動神経悪すぎて、梨子は最後までステップ習得できひんかったけどな」

「もう！　いま言わんでええやん」

「はは、ごめんごめん」

顔を真っ赤にして梨子が夏紀の背中を叩く。部活を何日か通して久美子が気づいたのは、この二人の仲はそんなに悪くないということだ。いや、むしろ仲がいいと言ってもいい。最初こそ険悪なように思ったけれど、どうやらそれは久美子の勘違いだったらしい。あのときの空気はなんだったんだろう。最初のパート練習の日のことを思い出しながら、久美子は顎をさする。たった数日前のことなのに記憶はすでにあやふやで、捕まえようとする久美子の手をいとも簡単にすり抜けていってしまう。

「で、キャント・バイ・ミー・ラヴってどんな曲なんですか？」

葉月の問いに、あすかの目が爛々と輝き始めた。あ、まずい。久美子がそう思ったときにはすでに、あすかの口は開いていた。

「この楽譜は、一九六四年三月にイギリスのロックバンド・ビートルズが発表した6枚目のオリジナルシングル『キャント・バイ・ミー・ラヴ』をジャズふうにアレンジした曲やな。英語の授業とかでよう流さはるから、ビートルズくらいは知っとるやろ？　このキャント・バイ・ミー・ラヴ、もとの歌にもイントロはなくて、いきなりタイトルを叫ぶポール・マッカートニーのシャウトから始まってる。イギリスでは百万枚、アメリカでは二百十万枚も予約された、史上初めて予約だけで百万枚以上売れたシングルとされとる。それから——」

「先輩、もういいです。あとは自分でウィキペディアを見ますから」

卓也の制止で、ようやく彼女のマシンガントークは止まった。あすかはとても素敵な先輩だけれども、この話し出したら止まらないところだけはなんとかしてほしい。

「ま、あと一カ月ぐらいあるから大丈夫やと思うけど。これが終わったら完全にコンクールに向かって練習って感じやな」

あすかはそう言って肩をすくめた。コンクールですか、と卓也がうめく。

「今年はどうなるんでしょうね……」

彼はそう言って窓の外を見やった。三階にあるこの教室からは、生い茂った緑しか見えない。隣の敷地にある裏山のせいだ。風が吹き抜けるなか、草花がこちらを馬鹿にするようにくすくすと身をよじらせている。先ほどまでさんさんと燃えていた太陽は雲のなかにその体を隠し、まぶしかった日差しはすっかり鳴りを潜めている。つんと鼻先をよぎったのは、湿った水の臭いだ。もうすぐ、雨が来る。

「滝先生は、合奏できるクオリティになったら集まってくださいって言ってはった。

まあ、うちらに与えられた期間は多く見積もって一週間ってところやし、それまでに頑張ろう」

「はい」

あすかの言葉に、久美子はうなずいた。

合奏――滝昇はどんな指導をする先生なのだろう。

そのルックスのせいか、あるいは柔らかな物腰のおかげか、滝は大人気の教師だった。とくに女子生徒から。彼の音楽の授業は非常に人気があり、当たり授業と呼ばれている。ちなみに久美子の担任の美知恵もかなり人気の教師だ。軍曹先生というよくわからない異名を持つ彼女は、厳しい態度を取りながらも真面目に取り組む生徒には優しい。吹奏楽部の顧問は当たりばっかりやな。他クラブのクラスメイトからはそんなことまで言われた。滝が指揮するところをいまだ見たことはないが、きっと楽しい合奏になるだろう。根拠のない確信を抱きながら、久美子はマウスピースに息を吹き込む。楽器はブルブルと震え、それからゆっくりと芯の通った音を吐き出した。


初めての合奏は、楽譜が配られてから約一週間後の日曜日に行われた。合奏練習は、普段は音楽室として配置されている机や椅子を廊下へと出すところから始まる。八十人近くの生徒をひとつの教室に収めるには、パーカッションや楽譜台の並べ方が重要になってくる。久美子たちは楽器室にあった足場を運び、それを低音パートの場所へと設置した。手前には木管、後ろには金管、端にはパーカッションが、それぞれ指揮者の見える位置へと並ぶ。音楽室に防音設備なんてものはないため、壁には気休め程度にボロボロな毛布がかけられている。布は音を吸うのだ。初心者はまだ楽譜を演奏できる技量はないが、最初の合奏ということで皆と一緒に参加している。実際に吹くわけではなく、見学するためだ。

「今日は初めての合奏ですね」

滝は正面の席に腰かけると、そう言って微笑んだ。久美子は足元のバケツを爪先でいじりながら、そっと胸を押さえた。なんだかドキドキしている。中学では何度も合奏してきたが、高校では初めてだ。

「皆さん、私の指示を聞いてくれたかと思います。合奏できるレベルまでキチンと練習してきましたか？」

その言葉に、部員たちからまばらな返事が返ってくる。滝は苦笑し、それから指揮棒を手に取った。

「とりあえず、まずはチューニングしましょう」

彼の指示に従って、部員たちは音を発する。しばらく簡単な基礎練習をやったあと、合奏はついに『キャント・バイ・ミー・ラヴ』へと進んでいった。彼の指揮棒が上を向く。部員たちが一斉に楽器を構えた。久美子もまた、下げていたユーフォを構える。指をピストンにかけると、ひやりとして冷たかった。

ふっと滝が息を吸い込み、それからその唇がはっきりと動く。

「ワン、ツー、ワンツースリーフォー」

指揮棒が振り下ろされると同時に、パーカッションがリズムを刻む。それに乗りかかるように、勢いよく金管楽器の音が飛び出す。いまにも歩き出したくなる、アップテンポの陽気な音楽だ。久美子は夢中で指揮棒を追いかけた。

演奏は中盤までは上手くいったが、途中からパーカッションの刻むリズムと金管木管の演奏がズレていった。些細《ささい》な違和感は一気に膨れ上がり、それぞれのパートのボロが一気にあふれ出す。メロディーの一瞬のズレ。不ぞろいな音の粒。低音と高音の乖離《かいり》。ドロドロに溶け合っていた音楽は途中で違和感を弾き出し、音と音がぶつかり合う。ぐちゃぐちゃに混ざった演奏は、大目に見ても音楽と呼べる代物ではなかった。

「はい、そこまで」

滝が無理やり演奏を止める。生徒たちは楽器を口から離すと、皆、苦々しい笑みを浮かべた。さすがにこの出来で胸を張れる者はいるまい。久美子もまた楽器を膝の上へと傾けた。うわー、ひどいな。夏紀がボソリと久美子の耳元につぶやいた。

「なんですか？　コレ」

滝は笑顔を崩さないまま首を傾げた。その声にいつもの丸みはなく、どこか刺々《とげとげ》しい響きを持っている。教室の空気がしんと冷え込んだのがわかった。

「部長、」

彼の言葉に小笠原が慌てて返事をする。

「は、はい！　なんでしょう」

「私、指示を出しましたよね？　合奏できるクオリティーになったら集まってくださいって」

「は、はい……言いました」

「その結果がこの有り様ですか？」

滝の表情はいつもと変わらず、だからこそひどく不気味だった。小笠原の身体が心なしかいつもより小さく見える。久美子の隣で、夏紀が緊張したように唾を呑んだ。

「皆さん、合奏ってなんのためにやるものだと思います？」

顧問の問いかけに、誰も何も答えない。嫌な沈黙が場を支配した。彼は呆れたように大きくため息をつくと、それからふとトロンボーンのほうを指差した。

「君、どう思います？」

「お、俺ですか？」

指名された生徒から、動揺する気配が伝わってくる。この馴染みのある声は、間違いない、秀一のものだ。

「それはその、本番のために皆で一緒に合わせて練習するものだと……」

「そうですね、私もそう思います」

滝から同意をもらえたことにほっとしたのか、秀一が安堵の息を吐く。しかしいまだ教室の緊張は解けていない。きりきりと胃を締め上げる重苦しい空気に、久美子はぐっと唇を嚙《か》む。

「しかしこれじゃあ合奏なんてできませんよ。皆さんのパートはそれぞれ欠陥を抱えています。多少のミスなら演奏は進みますが、ここまで出来が悪いと演奏自体が破綻してしまう。この程度の演奏で合奏をするだなんて、恥ずかしいとは思わないのですか？」

あからさまな罵倒に、生徒たちが身じろぎする。滝が大げさな動きでため息をつく。

「皆さんの力がこの程度だとは思いませんでした。本当に情けない」

その言葉に、教室の後方で生徒が立ち上がった。トロンボーンの三年生だ。

「ちょっと待ってください。そんな言い方はないと思います」

滝はその生徒を一瞥すると、爽やかな微笑を崩さないままフンと鼻で笑った。

「そうですか？」

「私たちだって遊んでたわけじゃないですし、ちゃんと練習しました！」

「遊んでたわけじゃない……そうですか」

そう言って、彼は静かに目を細めた。ゆっくりとした動きで、そのまま指揮棒を机の上へと置く。彼は手元にあったメトロノームを自分のほうに手繰り寄せると、リズムを調整した。彼がメトロノームから手を離すと、カチカチと早いテンポでリズムが刻まれ始める。

「トロンボーンパートの皆さんは、このメトロノームに合わせて演奏が始まるところから吹いてください。パーカス部分は無視していいです。いいですか？」

その言葉に、そろそろとトロンボーンの楽器が上がる。すべてのベルが前を向いたのを確認し、滝が言う。

「ワンツースリーフォー」

そのテンポに合わせて、メロディーが飛び出す。演奏は初めから不ぞろいだった。おそらく、吹いている部員のなかに間違ったリズムで演奏している者が複数いるのだ。ぐだぐだになっていく演奏に、滝は眉ひとつ動かさなかった。

「はい、そこまで」

彼の言葉に、部員たちが気まずそうに楽器を下ろす。

「皆さん、この演奏を聞いてどう思いました？」

滝がぐるりと教室中を見回すが、誰も視線を合わせようとしない。彼はふうと息を吐くと、仕方ないですねえ、と困ったように笑った。

「私は、トロンボーンだけじゃないな、と思いましたよ。ほかのパートもいまのように、パート単体ですら聞くに堪えない演奏をしています。どうしてでしょう」

緊迫をはらんだ生ぬるい空気が、久美子の肌にべっとりとまとわりつく。

「私はこの一週間、皆さんがパート練習をしている教室を見て回りました。皆さん、じつに楽しそうでした。雑談する声が廊下まで響いていましたよ。楽器の音が一切聞こえない部屋もありました」

図星なのか、周りのパートの生徒が居心地悪そうな表情を浮かべている。久美子は不意に先日の秀一との会話を思い出した。やはりこの学校の吹奏楽部は、練習熱心ではないらしい。

「私はね、べつに練習を無理強いしたいわけではないんです。ただ、皆さん最初に決めましたよね、全国に行きたいって。それなのにこれでは困ります。最低基準の演奏はパート練習のあいだにできるようになってもらわないと」

苛々するんですよね。彼は笑顔のまま、そう吐き捨てた。

「何を勘違いしてるのか知りませんが、私はべつに皆さんと戯れるために休日にわざわざ学校へ来ているわけではありません。指導をするために来たのです。なのにどうですか？　この演奏では指導以前の問題です。私の貴重な休日を無駄にしないでいただきたい」

　教室の端のほうで、女子生徒がすすり泣く音がする。それでも滝は表情を崩さなかった。笑みを形取る瞳の奥は、こちらがすくんでしまうほど冷ややかな色をしている。

「部長、」

「は、はい！」

　小笠原の声が裏返る。しかし誰も笑わなかった。

「まだ二時ですが、今日の合奏は終わりにします。いまからはパート練習にしてください」

「わかりました」

「それと、来週からは三者面談週間が始まりますので、授業は昼までに終わります。練習時間はたっぷりあるでしょう。なので、次の合奏は水曜日の一時からにします。いいですね？」

「も、もちろんです」

「それでは皆さん、次の合奏までに最低基準の演奏はクリアしておいてください。わかりましたか？」

　返事はなかった。皆、凍りついたように動かない。滝が笑顔のまま、もう一度繰り返す。

「返事は?」

その言葉に、控えめな返答が口々に漏れた。しかし久美子は何も言えない。はい。このたった二文字が、喉に引っかかって出てこない。緊張しているのか、口のなかが乾いていた。

滝は楽譜を抱えると、そのまま教室を出ていってしまった。誰も動かない。何も言わない。不自然な沈黙が、ポトリと教室に投げ出されている。久美子は意味もなく自身の手首をつかみ、力を込めた。やや日に焼けた肌に、白い痕が浮かぶ。それを見て、久美子はようやく息を吐いた。手首が少しだけ痛かった。

滝が音楽室から姿を消してから長い時間がたったあと、ようやく一人の生徒が立ち上がった。

「なんなんアイツ!」

ホルンの先輩だった。そこでようやく、教室内に張り巡らされていた緊張の糸がぷつりと切れた。彼女の言葉を皮切りに、皆が次々に滝の不満を口にしていく。

「マジ、ウザすぎるやろ」

「何あれ、ほんま感じ悪い」

「めっちゃムカつく、意味わからん」

漏れる不満は空気に溶け込み、ざわめきとなって久美子の鼓膜を揺すってくる。思わず久美子は眉間に皺を寄せる。

「はいはいはい！　愚痴はええから、とっととみんなパート連の部屋に戻ってー。練習や練習」

教室の中央で、あすかが指示を出している。すっかり萎縮したのか、小笠原はその足元で丸く縮こまっていた。これではどっちが部長かわからない。

「久美子、うちらもはよ行こう」

促すように葉月に背を叩かれ、久美子は音楽室をあとにした。ふと振り返ると、トランペットを大切そうに抱えた麗奈と目が合った。長い睫毛に縁取られた、黒曜石のような瞳。彼女のその美しい瞳はなぜか、ふつふつと怒りに燃えていた。


京阪宇治駅から久美子の家まで何本ものルートがある。いつもは宇治橋を渡り平等院通りを進むという最短ルートで帰るのだが、今日ばかりはそんな気分にならなかった。恥ずかしいとは思わないのですか？　合奏中に突きつけられた滝の言葉が、久美子の胸の奥にくすぶり、ぶすぶすと煙を上げている。重苦しい気分が肺を押し潰し、動くことすら億劫《おっくう》に感じる。こんなふうに気が滅入る日は、久美子はいつも寄り道をして帰ることに決めていた。

駅を下りて川沿いにまっすぐに進むと、宇治神社の鳥居が見えてくる。この鳥居の右手に見える朱色に塗られた朝霧《あさぎり》橋の手前に、着物姿の男女が寄り添うモニュメントが建っている。浮舟《うきふね》と匂宮《におうみや》だ。源氏物語《げんじものがたり》宇治《うじ》十条《じゅうじょう》の舞台となったこの土地には、それにちなんだモニュメントが建てられていた。といっても、久美子は教科書でしか源氏物語を読んでいないので、浮舟やら匂宮やらが誰なのかは知らないのだけれど。

久美子は川の堤防に腰かけると、ぐっと脚を伸ばした。ぴかぴかと真っ赤に光る朝霧橋を眺めていると、なんだかすべてがどうでもよくなる。川の音は密やかで、ざわめきの溶け込んだ静寂はひどく心地よい。時の流れは遅くなり、一秒一秒を刻む腕時計の秒針は面倒くさそうにその体を引きずっている。

「よ、」

声をかけられ、久美子は顔を上げた。秀一だった。

「何その目」

彼はわずかに顔をゆがめると、断りもなく久美子の隣に座り込んだ。黒いスラックスに皺が寄る。

「なんでここにいるの？」

「たぶんお前と一緒。気分転換」

「ふうん」

胡散くさいと思ったが、告げるべき言葉が見つからなかったので久美子はそれ以上追及しなかった。思いついたことを、テキトーに口にする。

「滝先生、怖かったね」

「いやあ、やばかった。怖すぎ怖すぎ」

彼はそう言ってケラケラと笑い声を上げた。伸びた前髪を指でかき分け、秀一は小さく肩をすくめる。

「うちのパートリーダー、ガチギレしてたしな。まあザマアミロって感じやけど」

「いや、でも北宇治高校はホント下手だよ。入学式でも思ったけど、ここまでヒドイとは思わなかった」

久美子は膝を身体へと寄せる。これからのことを考えると、本当に憂鬱だ。

「あの先生、本気で全国行けると思ってるのかなあ」

「正直無理やろ、あんなレベルじゃあ。夢見すぎって感じちゃう？　三年とか、パート練でべらべらしゃべってるだけやし」

あんな高すぎる目標、恥ずかしいだけやろ。そう言い捨てた彼の口元は、皮肉っぽくゆがんでいた。

「あの先生も指示は出してるけど、ほんまに実力あるかわからんし」

「どうなんだろうね。顧問するのは初めてだとか言ってたけど」

「あるに決まってるやろ！　ふざけてんの！」

突如響いた声に、二人は驚いて振り返った。悪口を言っている現場を押さえられるのは、いつだってばつが悪い。そこに立っていたのは、たいそうご立腹な様子でこちらをにらみつけている麗奈だった。その左手にはトランペットケースを提げている。

「な、なんでここに……」

麗奈とは三年間同じ中学だったけれど、地元で遭遇したことは一度もなかった。彼女はむすっとした顔で二人の背後に立つと、フンと鼻を鳴らした。

「アタシ、この近くに住んでるから。宇治上《うじがみ》神社の近く」

「見たことなかった……」

「電車使ってないからちゃう？　アタシ、いっつも自転車通学やから」

そうなんだ、と久美子はやや気圧されながらうなずく。秀一はというと、完全に固まっていた。そういえば彼は、久美子以外の女子生徒が苦手だった。

「で？　アンタらさっきなんの話してた？」

ずいっと顔を近づけられ、久美子は思わず目を伏せた。美少女のドアップというのは、なかなか心臓に悪い。

「い、いや、その……」

しどろもどろになった久美子に追い打ちをかけるように、麗奈はまた一歩こちらへと歩み寄った。秀一が隣で蒼《あお》い顔をしている。

「言っとくけど、滝先生はすごい人やから！　馬鹿にするなんてアタシが許さんで！」

「う、うん」

「アンタも聞いてんの？」

麗奈の視線が秀一を捕らえる。突如として矛先を向けられた彼は、ぎょっとした様子で身をすくませた。

「返事は？」

「は、はい……」

「素直でよろしい」

麗奈は満足そうにうなずくと、フンと鼻を鳴らした。仁王立ちの美少女は、トランペットケースを握り締めたまま、値踏みするようにこちらを見下ろす。

「今回は許すけど、次、滝先生の悪口言ったら許さんから」

「べ、べつに悪口のつもりじゃ……」

小声で反論する秀一に、麗奈が鋭い視線を送る。桃色の唇が弧にゆがんだ。

「なんか言った？」

「い、いいえ……ナンデモナイデス」

青年は呆気《あっけ》なく白旗を振った。

「わかったんならええわ。それじゃあ」

麗奈はそれだけ言うと、何事もなかったように颯爽《さっそう》と立ち去っていった。先ほどまでの喧騒《けんそう》はなんだったのか。辺りは急に静まり返る。残された二人はお互いの顔を呆然《ぼうぜん》と見つめ合い、それからどちらともなく立ち上がった。

「……帰ろっか」

「そうやな」

道路を駆けていく少年たちが、無邪気な笑い声を上げる。なぜだかどっと疲れて、久美子は目頭を強くこすった。秀一は何か言いたげにじっとこちらを見下ろしていたが、結局何も言わなかった。


次の日、パート練習室の扉を開けると、なぜかそこに滝の姿があった。

「こんにちは、黄前さん」

「あ、こんにちは」

会釈され、久美子も慌てて頭を下げる。この人、もう部員の名前を覚えているんだ。そんなことをちらりと考えた。

「久美子ちゃん、今日は滝先生が指導してくれるみたいやから、早めに準備してな」

「あ、はい。わかりました」

あすかの言葉に、久美子は慌てて楽器室へと向かう。ようやく手に馴染みつつあるユーフォニアムをケースから取り出し、棚から自分の楽譜ファイルを抜き出す。部活で統一されている楽譜ファイルは、なかの透明なファイル部分が光に反射しにくくなっている。安物のファイルを使うと、本番のときに照明の光が邪魔で楽譜が読めなくなってしまうのだ。

「待たせてすみません」

久美子が急いでパート練習の教室に駆け込むと、低音のほとんどのメンバーがそこに集まっていた。いないのは現在三者面談中の葉月だけだ。

「どうぞ、いつもの席に」

「あ、はい」

滝の言葉に、久美子は慌てて窓際の席に着く。滝は生徒たちの顔をぐるりと見渡すと、それからふと口元を緩めた。

「皆さんがどんな音を吹くのか聞いてみたいと思い、今日は来ました。残念ながら私は十六時から面談ですので、それまでに少しだけ確認させてください」

いいですか？　と、滝があすかの顔を見る。パートリーダーはいつものあの喰《く》えない笑みを浮かべ、はいと大きくうなずいた。

「ではまず最初に、チューニングの音を皆さんで歌ってほしいんです」

チューニングというのは、簡単に言えば音程を調整する作業のことだ。この作業を怠ると、同じ音を出しているはずの楽器同士がぶつかり合い、音があちらこちらに飛び散ってしまう。皆で同じ音を長く伸ばして吹いたときに、音がゆらゆらとうねっていたら、それは音程がおかしい証拠だ。普段音楽を聴くときにはまったく気にならないことだけれども、いざ演奏するとなるとこの音程という存在が何よりの難関となって立ちはだかる。ちなみにユーフォニアムやチューバの場合は管を抜いたり引いたりすることで音程を調節したりする。

「歌ですか？」

「ええ、そうです」

梨子の言葉に、滝がうなずいた。その隣であすかが顎をさする。

「もしかして、先生はこれから練習に『ソルフェージュ』を取り入れるつもりなんですか？」

「さすが田中さん、よくわかっていますね」

滝は感心したようだった。夏紀が不思議そうな顔で首を傾げる。

「なんですか？　そのソルなんたらって」

「ソルフェージュというのは、楽譜を読むことを中心とした基礎訓練のことです。基礎練習を始める前に、これから配布するテキストのなかから、いくつか歌ってもらおうと思っています。これらの訓練で読譜能力が身につきますし、正しい音程も出せるようになります」

「この練習、緑も中学のころやってたよ！」

久美子の隣で、緑輝がやや興奮したように言った。強豪校である聖女が行っていた練習法だとすると、なんらかの効果があるのだろう。

「まあ今日は時間がないので、とりあえずチューニングの合わせ方だけでも確認させてください」

滝はそう言って、ノートパソコンでB♭《フラット》の音を再生した。

「この音に合わせて一人一人発声していきましょう。時計回りでお願いします」

「はい」

あすかはうなずき、それから鳴り響いている音と同じ高さの声を発した。女子にしてはやや低い彼女のしっとりと落ち着いた声は、聞いているだけで少しドギマギする。そのあとに続くように、順に部員たちは声を発した。吹奏楽部に所属しているというだけあって、皆、音楽が得意な者ばかりだと久美子は考えていたのだが――。

「……後藤君は、もしかして歌があまり得意ではないのですか？」

オブラートに包まれた滝の言葉に、卓也はしゅんとした様子で顔を伏せた。どうやら彼は相当の音痴らしく、その歌声はなかなかの破壊力を持っていた。滝が苦笑する。

「大丈夫ですよ、不慣れな人も慣れていけばどんどんと上手になっていきますからね。頑張りましょう」

「は、はい」

卓也はすっかり気後れしてしまったらしく、その大きな身体を縮こまらせている。その背中を、あすかがケラケラと笑いながら叩いた。

「心配せんでもいいって。うち、アンタよりもっと音痴なやつ知ってるから」

「誰なんですか?」

久美子の問いかけに、あすかがあっさり「晴香」と答える。

「確かに、部長はめっちゃ歌下手ですもんねえ」

夏紀がしみじみとつぶやいた。

「まあ誰が音痴かはさておき、今度は楽器で同じ音を鳴らしてみましょう」

滝の言葉に、先ほどと同じように一人一人同じ音を吹いていく。先ほどは壊滅的な歌声を披露してくれた卓也も、楽器となると正確な音を再現できるから不思議だ。

「それでは今度は一緒に演奏してみましょう。同じ音を吹いてみてください」

その指示に従って、皆がB♭の音を吹く。低音が重なり合い、パソコンから流れ出る電子音がゆらゆらと小刻みに震える。音程が合っていないのだ。

「電子音に楽器の音を溶け込ませることを意識してください。楽器をただ吹くのではなく、もとにある音のなかに馴染ませるんです」

音のなかに溶け込ませる。その言葉を意識して、久美子は周りの音に耳を澄ませてみる。波打っていた音が重なり合い、ゆがみがゆっくりと消えていく。ユーフォ、チューバ、コントラバス。三つの楽器の音がどろどろに溶け合い、ひとつの塊を形成していく。――そのとき、聞こえるはずのない高い音が聞こえた。ホルンの音に近い、Fの音だ。

「はい、そこまで」

滝の言葉に、久美子は構えていた楽器を下ろした。いままで聞いてきたなかで、いちばん美しいユニゾンだった。中学のときにもうるさく音程のことは言われていたが、こんなにも真剣に意識したのは初めてかもしれない。

「いま、Fの音が聞こえましたか?」

滝の言葉に、部員たちは素直にうなずいた。

「それが倍音です。音程がそろっていると聞きやすくなります。この音になぞってみんなで演奏すれば純正律と同じ効果でハモります。音程というのは合わせるのがとても面倒ですが、美しい演奏はこの音程を無視してはできあがりません。超絶技巧を見せつけるだけが演奏ではないのです。こうやってひとつひとつの音を完全にそろえていけば、美しい演奏になります、だから普段の合奏のときもほかのパートの音を聞いて、ひとつひとつの音をきっちりと処理していかなければならないのです」

「はい！」

滝の言葉に、久美子たちは勢いよく返事した。短時間の指導ではあったが、音程をそろえるコツみたいなものはつかめたような気がする。早くこれを合奏で試してみたい。そんな久美子の思いを読み取ったように、滝はわずかにその目を細めた。

「では最後に、一度低音だけで合わせてみましょうか」

彼はそう言って、指揮棒を取り出した。


二度目の合奏の日、音楽室の緊張感は異様なほど高まっていた。前回は滝が来るまで雑談してばかりだった先輩たちも、皆一様に楽譜をにらみつけている。久美子は台にファイルをセットしながら、ポケットからチューナーを取り出した。

吹奏楽部では、合奏前に必ずしておかなければならない作業がある。それがチューニングだ。簡単に言うと、音程調節である。チューナーというのはそのときに使う便利な道具で、久美子が持っているものは中学時代に買った三千円の代物だ。その値段はピンからキリまであり、ストロボチューナーレベルになると五十万円を超えるものもざらにある。久美子のチューナーはベルに近づけて音を出すと、それが高いか低いかをメモリで示してくれる。そのほかにも規定の音を耳で聞いて、自分で探り当てるという方法もある。

部長が前に立ち、皆で最後のチューニングをする。同時に同じ音を出し、その高低差を調節するのだ。基本的に金管は、室内が高温になると音程が高く、低温になると低くなる。コンクールになるとその場の音程だけではなく、会場に備え付けられたクーラーの影響や移動時間の音程変化まで考えないといけない。こういった細かいところにまで配慮できるか否かが、強豪校と弱小校の違いだったりもする。

「今日はさすがに皆、気合い入ってんな」

隣に座る夏紀がけらけらと笑う。彼女の手元の楽譜には、この前まではなかった書き込みが至るところに見受けられた。

「またああやって怒られるの、嫌ですからね」

「まあ、それだけが理由じゃないやろうけど」

夏紀はそう言って、教室の端へと視線をやった。そこでは三年生たちが集まって何やらひそひそと話している。アイツムカつく、とか、絶対見返したる、といった言葉が、ラッパの音に紛れて途切れ途切れに聞こえてくる。噂によると滝はこの一週間、放課後のあいだにすべてのパートの指導を行っていたらしい。そのとき、かなり手厳しいことを言われたところもあるようで、泣きながら楽器を吹く生徒たちの姿が何度か目撃されている。

「まだ根に持ってるみたいですね」

「アイツら性格ブスやからな」

あまりに過激な夏紀の言葉に、久美子は思わず辺りを見回す。幸いなことに、ほかの生徒には聞こえなかったようだった。

「夏紀先輩、そういうことあんまり大きな声で言わないほうがいいですよ」

「だって事実やし」

彼女は悪びれた様子もなくそう言い放った。

「アンタだってそう思うやろ？」

「え、」

どう答えるべきか。返答に詰まった久美子に救いの手を差し伸べたのは、音楽室に爽やかに登場した顧問の姿だった。騒がしかった音楽室が途端に静まり返る。

滝は正面の席に座ると、スコアを広げた。教室中の視線が、彼のもとへと降り注ぐ。滝は悩ましげに楽譜へと視線を落としていたが、ふと何かに気づいた様子で顔を上げた。柔らかな印象を与える彼の瞳が、ぐるりと音楽室を一周する。

「皆さん、そろったみたいですね」

彼は言った。穏やかな声だった。

「どうです？　ちょっとはマシになりました？」

「上達したと思います」

部長が答える。そうですか、と滝は目を細めた。

「では、まずは音程の確認をします。パート練習中に指導したことを意識して、演奏してください」

彼はそう言って、オルガンでチューニングの音を鳴らした。その指揮棒が軽やかに振られ、部員たちが一斉に同じ音を吹く。前回の合奏のときとはまったく違う、澄んだ音が響いた。うねりがほとんどなく、まっすぐに音が重なっているのがわかる。吹き方自体が変わったのか、それぞれの楽器の鳴り方も全然違う。楽器自体がよく響いているのだ。

「はい、わかりました」

滝が指揮棒を下ろす。それに合わせて久美子たちも楽器を吹くのをやめる。短時間でここまで音が変わったのは、おそらく滝の指導の成果だろう。自分たちの上達をはっきりと実感し、部員たちはざわめいた。その類は興奮したようにうっすらと赤い。喧騒をかき消すように、滝が手を叩く。

「皆さん、うれしいのはわかりますが、練習中の私語は慎みましょう。次に基礎練習に入ります、配布した楽譜の三番を皆で吹いてみましょう」

基礎練習はそれからしばらく続いた。サンフェスで吹く曲の合奏をするために集まったのに、どうしてこんなにも退屈な練習を続けなくてはならないのだろう。そう考えているのは久美子だけではないらしく、周りも退屈そうな顔をしている。そんななか、あすかだけがじっと真剣な目で顧問の姿を見据えていた。

「クラの鈴鹿《すずか》さん、少し高いです」

「は、はい」

それにしても、と久美子は頬杖を突きながら考える。滝の耳はいったいどうなっているのだろう。一度に大勢の音を聞いているというのに、彼の耳は的確に音のズレを捉えている。

「……では、そろそろキャント・バイ・ミー・ラヴの演奏をしましょうか」

その言葉に、基礎練習に飽きていた部員たちは顔を上げた。彼は苦笑しながら指揮棒を構える。横たわっていた楽器たちが、一斉に前を向いた。

「ワン、ツー、ワンツースリーフォー」

指揮棒が振り下ろされ、ドラムがリズムを刻み出す。そこに金管と木管のメロディーが加わり、音楽はいっそう華やかな印象を強める。早いテンポの曲だが、一度流れをつかめば最後まで押し切れるはずだ。久美子は楽譜をにらみつけながら、必死で指を動かす。雑多な音の塊はいくらかの乱れをはらみながらも、それでも指揮棒に食らいついていた。フルートの連符やトランペットのメロディー、パーカスと低音のベースなど、問題点はいくら上げてもキリがないが、それでも曲は途切れなかった。音楽は終盤を迎え、やがて指揮棒の動きが止まる。

……やっと終わった。

そう思ったのは久美子だけではなかったらしく、至るところで安堵の息が漏れる。やけに疲れていた。中学のときの合奏ではこんなに疲れたことはない。それだけ集中していたということだろうか。

滝はじっと考え込むように目を閉じていたが、ふとその口元を緩めた。彼の長い指が、楽譜をめくる。

「まあ、及第点といったところですかね」

その言葉に、あすかの眉間に皺が寄る。前回の演奏と比較すると明らかによくなっていたように思えたが、滝の求めているレベルにはまだまだ到達できていないようだ。

「本番は五月の初めです。私たちに残された日数はあまり多くありません。サンフェスはパレードですからね。皆さんはこの楽譜を暗記して、歩きながら吹けるレベルにならなくてはいけません。どうです？　自信はありますか？」

彼は挑発するようにそう言って、教室中を見渡した。部員たちは、その視線から逃れるようにうつむいている。

「私はありますよ、自信」

　滝の言葉に、久美子は目を瞬かせた。彼は机の上に重なっている紙の束を持ち上げると、クラリネットの生徒たちに後ろへ配るように指示を出した。安っぽいざらばん紙の上に躍る文字は、緻密に書き込まれた部活の予定表だった。その細かさに、思わず夏紀が顔をしかめる。

「うげー、マジか」

　その言葉に釣られて、久美子もまた手のなかの紙に視線を落とす。そこには基礎練習のやり方や、普段のパート練習のやり方が事細かに書かれていた。すべてをこなすのはかなりのハードスケジュールだ。

「先生、これ、」

　思わずといった様子で、小笠原が声を上げる。

「この練習メニュー、本当にこなすんですか？」

「どうしてこなさないんですか？」

　滝がキョトンとした顔で首を傾げる。

「皆さんが普段若さにかまけてドブに捨てている時間をかき集めれば、この程度の練習量は余裕ですよ。いままでの部の活動時間内でできるはずです。あ、もちろん初心者の一年生には別にメニューがありますから、そちらをこなしていってくださいね」

優しい顔をしているくせに、言っていることは手厳しい。部長の隣ではサックスを首から提げた葵が、食い入るように練習表を見つめている。彼女の右手の甲には赤い文字で、数学の公式が書かれていた。なんだ、あのにょろにょろは。いつか自分もあんなものを覚えなくてはならないのだろうか。久美子は痛くなる頭を押さえる。

「サンフェスは各高校の実力が如実に現れます。例年どおりのへらへらした演奏を私は認めません。これからはすべての発表会に本気で取り組んでください」

べつにこれまでだってふざけてたわけやないけど。どこかで誰かがボソリとつぶやく。しかし滝は笑顔でそれを聞き流した。夏紀がフンと鼻で笑う。

「やるなあ、あの先生」

ずいぶんと上から目線だなあと思ったが、久美子は黙っておいた。

「今日の合奏は、とりあえずズレが目立つところを直していこうと思います。ではまず、途中のトランペットメロディーから――」

滝の指示に、部員たちは楽器を構える。そのなかにはもちろん、麗奈の姿もあった。まっすぐに滝を見つめる彼女のその双眸《そうぼう》は、久美子には見えない彼の表情をはっきりと映し出していた。

この合奏以来、あちこちの教室でパート練習の音が聞こえるようになった。サボっていた部員たちが練習するようになったのだろう。滝の指導のおかげかはわからないが、彼への反発心により練習に取り組む部員が増えたのは確かだ。音楽室前の女子トイレに入ると、あのクソ教師！　とか、腹黒男！　とか顧問を罵倒する声が聞こえてくるが、まあ、練習に参加しないよりはずっとマシだ。

「え、意味わからないんですけど」

　パート練習の教室に戻ると、葉月が困惑した表情で卓也を見上げていた。彼は楽譜を指差して、少し困ったように頭をかいた。

「だから……喉と舌を上手く使ったらいい、と、思う、たぶん」

「え、無理ですよ」

「できる、大丈夫」

「いやいや、難しすぎないですか？」

　久美子は二人の手元をのぞき込んだ。そこにあったのは滝の考案した練習メニューだった。一番、二番……と数字が割り振られた楽譜は、おそらく基礎練習用のものだ。

　金管楽器でまず重要な基礎練習といえば、ロングトーンだ。音階順に音を鳴らしていく方法が一般的だが、この練習によって安定した音が出るようになる。息の出し方を意識して何度も練習していけば、徐々に音が美しくなっていく。滝はとにかくこのロングトーンを重要視しているらしく、練習用だけでも大量の楽譜が配布された。

そしていま葉月が悪戦苦闘しているのが、リップスラーだ。ひとつの指使いでさまざまな音を出す金管楽器にはとくに重要な練習だ。押しているピストンを変えずに音を変化させる。このとき注意しなければならないのは、唇で音を変えるのではなく、口の筋肉と息のスピードを同時に変化させるということだ。始めたばかりの葉月にはこの動作が難しいらしく、顔をゆがめてうんうんとうなっている。

「うーん、金管のことは、緑、さっぱりわかんない！」

緑輝がコントラバスの楽譜を見ながら、なぜか胸を張って言う。ほかにコントラバスの部員がいないため、緑輝を指導してくれる先輩はいない。にもかかわらず、スラスラと与えられた指示どおりに行動できる彼女はただものではない。さすがは強豪校出身といったところか。

「そんなうだうだ悩まんでも、楽器より先にマウスピースだけでやったらできるようになるで！」

突如会話に乱入してきたのは、予想どおりあすかだった。進路に向けて二者面談の真っ最中であるはずの彼女は、なぜか楽器を吹く気満々で葉月の隣に突っ立っている。

卓也が呆れた顔をした。

「先輩、面談はどうしたんですか」

「そんなもん五分で終わらせたった！　うちの進路を阻める者などおらん！」

「……はあ、そうですか」

突っ込む気も失せたのか、卓也は諦めたようにうなずいた。

「で、葉月ちゃん！　リップスラーができひんの？」

「あ、はい」

気圧されたように、葉月がうなずく。

「じゃあうちがお手本を見せたろう。ちょっと楽器は下に置いて、マウスピースだけで吹いてみて？」

あすかの指示どおり、葉月がチューバを床に置く。大きなベルを直接下に立てかけるのが、低音楽器の置き方だ。メッキの剥がれたボロボロなチューバ。チューバはサイズが大きいせいで値段もかなり高い。チューバ一台でほかの金管楽器が何台か買えてしまうので、買い換えを後回しにされてしまうことが多いのだ。

「まずマウスピースだけで音出せる？」

「あ、はい。こんな感じですか？」

葉月がブルブルと唇を震わせる。銀色の金属部品がその振動を伝って、ブーとあまり綺麗ではない音を出す。そうそう、とあすかは満足げにうなずいた。そのまま自身の唇に、自分のマウスピースをつける。

「その状態で、音程を変えてみ？」

こんなふうに、とあすかはマウスピースだけで音階を奏でてみせた。その音があまりにも明快だったものだから、久美子は驚いた。マウスピースだけでここまではっきりと吹き分けられるものなのか。

「いや、ちょっとそこまでは難しいです」

葉月が困ったように眉尻を下げる。あすかの指導は続いていたが、久美子は自身の欲求を抑え切れなかった。こそこそと隠れるように、マウスピースに口をつける。

「……………」

音階が鳴るには鳴ったが、あすかのそれとはほど遠い。まず、音が汚い。息の吹き込み方に問題があるのだろうか。あすかの伸びやかな音と違い、久美子の音は下にひしゃげている。どうしたら彼女みたいな美しい音が出るのだろう。

「結構、上手いな」

「うひゃあ！」

背後から声をかけられ、思わず叫んでしまった。振り返ると、無表情のまま卓也がこちらをのぞき込んでいた。

「中川はそれ、全然できない」

「夏紀先輩が、ですか？」

「そう。楽器がないと、吹けない」

「そうなんですか」

「まあ、俺も田中先輩ほどは、無理やけど」

卓也はそう言ってその巨体を縮こまらせた。

「後藤先輩って、どのくらいチューバやってるんですか?」

「え、俺?」

彼は自身を指差し、首を傾げた。

「夏紀先輩と梨子先輩は高校から始めたんですよね? 後藤先輩はいつから吹部に入ったんです?」

彼は考え込むように腕を組んだ。それから、うなるように答える。

「中一の冬から、かな。陸上部辞めて、吹部に入った」

「陸上部だったんですか?」

「うん……そっからずっとチューバ」

「同じ楽器ばっかりじゃ飽きませんか?」

「飽きない」

卓也は即答した。

「俺、チューバ好きやから」

自身の言葉に照れたのか、卓也はそのままうつむいてしまった。丸みのある彼の頬にうっすらと朱が混じる。その横顔があまりにもまぶしかったものだから、久美子は思わず目を逸らした。

合奏、パート練習、合奏、パート練習……を繰り返しているうちに、四月はあっという間に消費されていってしまった。げんなりとした顔で、久美子はスケジュール帳に視線を落とす。サンフェスはついに来週だ。よくよく考えてみると、高校生になってこれが初めての発表会だったりする。そのあとは、高校生活初めての中間テストだ。課題の量を思い浮かべ、久美子の気分はどんどんと下降する。

「えー、来週の本番に向けて、衣装を配りまーす」

小笠原の声に、久美子はハッと顔を上げた。時計の針はちょうど12の文字を示している。昼からは中庭で練習だと思うと、久美子の心はどんよりと重くなった。日差しにさらされての練習は、なかなかにキツいものなのだ。

「一年生の子は取りに来るように。まずはパーカスから――」

前のほうであすかが段ボール箱から何やら袋を取り出している。おそらく、あれが衣装なのだろう。一週間ほど前、一年生全員が身体測定をさせられた。このためだったのか、と久美子はいまさらながら納得する。

「こういうの、なんかドキドキすんな！」

隣に座っていた葉月が目を輝かせる。その横で緑輝が深刻そうな顔でつぶやく。

「ダサいデザインだったらどうしよう。そんなの着せられたら、緑死んじゃう」

こんなに真剣な緑輝の声を、久美子はいまだかつて聞いたことがなかった。どうやら彼女は衣服に人並みならぬこだわりがあるらしい。着られたらなんでもいい久美子とは大違いである。

「次！　低音パート！」

「あ、はい！」

あすかの声に、三人は慌てて立ち上がる。手渡されたビニール袋は予想よりもずっと重かった。

「ジャケットかあ。暑そうやなあ！」

葉月が袋をぐちゃぐちゃに破って開けながら叫んでいる。その隣では緑輝がはさみを使って几帳面に開封していた。久美子は切り口を探すと、そこから指を使って無理やりに袋を開ける。なかから現れたのは、黒いカッターシャツに、黒色のズボン、青色のジャケットに、青いリボンが巻かれた黒の中折れ帽だった。

「昼からの練習は衣装を着てやります。予行練習ってわけです。サイズが合わない人は申告するように」

部長の言葉に、はーいと力の抜けた返事が返ってくる。緑輝はしばらく衣装をにらみつけていたが、やがて、「まあ、ギリギリセーフやなー」と小さくつぶやいた。

「じゃ、音楽室は女子、隣の三組の教室は男子の更衣室にします。急いで着替えて、楽器を持って中庭の大松前に集合するように」

「はい！」

あすかの言葉に、皆が返事する。それからは一気に慌ただしくなった。男子たちは逃げるように音楽室を飛び出し、女子たちは恥じらいもなくセーラー服を脱ぎ捨てる。下着姿で闊歩《かっぽ》する先輩方に、久美子は思わず目を伏せた。

与えられた衣装に身を包む。採寸は完璧だったようで、初めて着たユニフォームは久美子の身体にしっかりと馴染んでいた。ズボンのサイドラインには青色のスパンコールが縫いつけられており、動くたびにキラキラと光を反射している。本番で履く靴も指定されており、シンプルなデザインの黒のスニーカーにも青色のラインが入っていた。

「どうどう？　似合う？」

葉月が得意顔でこちらに近づいてくる。筋肉質な体躯の少女には、確かにこの衣装は似合っていた。その隣で、ハットをかぶりながら緑輝がつぶやく。

「あーあ、いいなあ。緑もコントラバス持って歩きたい」

「いや、さすがにそれは無理やろ」

「わかってるって」

緑輝が頬を膨らます。コントラバスは移動しながら演奏できる楽器ではないので、今回のパレードに彼女は不参加だ。初心者の子たちに混じって前のほうで手を振りながら歩く役らしい。

「久美子ちゃん、日焼け止めちゃんと塗っておかないとあかんよ」

後ろから声をかけてきたのは葵だった。サックスを首から提げた彼女の姿は、ずいぶんとさまになっている。

「やっぱり焼けちゃうの?」

「焼ける焼ける。しかも顔だけ」

「それはやだなー」

「気いつけなあかんで。長袖の衣装やし、腕とかは焼けへんけどね」

そう言って微笑む彼女の背後で、突如奇声が上がった。

「きゃあああああ! 先輩可愛いいいい! マジエンジェル!」

皆の視線が一様にその声の主に集まる。鼻息荒く自身の拳を握っているのは、トランペットパートの二年生、吉川優子《よしかわゆうこ》だ。教室中の視線を一身に浴びる彼女は、しかしそんなことなどまったく気づいていないようだった。彼女の熱い視線はただひたすら香織だけに注がれている。

「そ、そうかなあ？」

香織は照れているのか、微かに頬を赤らめている。はにかみながら上目遣いで優子を見つめる彼女は確かに、地上に舞い降りた天使のごとき可憐《かれん》さを辺り一帯に撒《ま》き散らしていた。そこに着替え終わったあすかが飛びつく。

「いやあ！　さっすが香織！　めっちゃ可愛い！」

抜群のプロポーションを誇る我が低音パートリーダーの晴れ姿は、可愛らしいとは対極の存在にあった。長い黒髪をひとつに束ねるその姿は、女性らしさを通り越してもはやイケメンである。その凜々しさは男に飢えた女子生徒に効果抜群だったらしく、あすかに目を奪われた哀れな後輩たちは、頬を蒸気させながら、もう死んでもいい！　とか、抱いて！　とか、なんとも意味不明な台詞《せりふ》を吐きながら倒れている。あすかと香織。並ぶと絵になる二人だ。

「あすかもカッコいいよ」

「ふふん、ありがとう」

頬を赤らめる香織に、あすかが得意げな笑みを浮かべる。香織はそっとその手を伸ばすと、目の前の少女の腕を引いた。青いジャケットに、深く皺が寄る。端整なあすかの横顔が、不意に香織のほうを向く。

「……どうしたん？」

あすかが小首を傾げる。その動作に香織は目を見開き、それから一気に顔を赤くした。慌てたように、彼女はその手を離す。

「な、なんでもない！」

「そう？」

あすかは口端をわずかに持ち上げると、香織の肩を軽く叩いた。それから教室中を見回す。

「よし！　じゃあ着替えた人から移動してや！」

あすかの指示に皆が慌ただしく動き出す。香織は一瞬何か言いたげな瞳であすかを見たが、その唇が言葉を発することはなかった。


「くっ、重い……」

普段は温厚な梨子も、この日ばかりは苦しそうに顔をゆがめていた。彼女が身体に巻きつけている巨大な楽器、これがマーチング名物スーザフォンだ。移動しながら演奏するには、普段使っているチューバはあまりにも重い。そんな奏者の負担を減らすべくして作られたのが、このスーザフォンである。北宇治高校のスーザフォンは真っ白な繊維強化プラスチックでできており、チューバと比較すると負担が肩などに分散される分、軽く感じる。それでも十キロ近くあるので、演奏しながら歩くにはかなり重い代物ではあるが。

「うちもマーチングのときにはこんなんつけるんか……」

隣で葉月が顔を青くしている。その隣では、緑輝がひらひらと楽しげに青と赤の旗を振っていた。この旗を扱う人のことを、カラーガードと呼ぶ。

「ガード久しぶりやけど、大丈夫かなあ」

「え、手を振るだけじゃなかったの？」

久美子の問いに、緑輝は少し困ったように頬をかいた。

「緑もそう聞いてたんやけど、なんか頼まれちゃった。今回ガードするの、緑とフルートの先輩の二人だけやし、まあ合わせるのは難しくないんやけどね」

「緑ちゃん、ガードもできるの？　器用やなあ」

梨子が感心するように言った。

「ほんま、なんでもできるよなあ」

「えへへ、緑、褒められちゃった」

緑輝はうれしそうに笑みをこぼした。その背後から近づいてきた夏紀が、気だるげな雰囲気で葉月の肩へと腕を回した。

「で、謎ステップはマスターしたん？」

「な、謎ステップですか？」

そういえば以前もそんなことを言っていた。久美子の言葉に、そうそう、と夏紀がうなずく。

「北宇治高校名物、謎ステップ！　初心者の一年生はサンフェスでこれをやらされんのが恒例やな」

「へえ、大変そうですね」

久美子は楽器経験者ということで、この謎ステップというのにはまったく関わっていない。本番では楽器を吹きながら歩くだけだ。夏紀はやけにうれしそうな顔で、えぇか？　と一年生に今回のフォーメーションを説明し始めた。

「今回は歩きながらの指揮になるから、滝センセーは指揮をやらん。やし、まず先頭をドラムメジャーが歩く。これはあすか先輩がやる」

「ドラムメジャーってなんですか？」

葉月が尋ねる。

「マーチングバンドの指揮者のことやな。まあ、うちの部活の顔ってこと。先頭に立ってメジャーバトン振りながら歩いてくれはる」

ドラムメジャーはバンド全体のまとめ役であることが多い。バンド全体を指導せねばならないため、技術的にも人格的にも優れた、人望のある人物が選ばれることが理想となる。その点で言えば、あすかにはなんの問題もない。なんの問題もない、が。

「……小笠原部長がドラムメジャーじゃないんですか？」

久美子の問いに、梨子が表情を曇らせた。

「小笠原先輩はメンタルが強くないから、そういうのには向いてないねん」

「それなのに部長にならはったんですか？」

そう言って、不思議そうに葉月が首を傾げる。梨子は困ったように頭をかいた。

「うん、まあね。本当はみんなあすか先輩に部長になってほしかったんやけど、あすか先輩、そういうのは嫌いみたいやから。副部長だって本当は嫌やったみたいやけど、頼まれたからしぶしぶ引き受けてくれはってん」

「緑、そうは思わないけどなー。あすか先輩ってめっちゃリーダー体質って感じやし」

緑輝の言葉に久美子もうなずく。あの人は絶対人の上に立つタイプの人間だ。久美子の考えを読み取ったように、夏紀がケラケラと笑い声を上げた。

「まあ向き不向きと好き嫌いは別ってことちゃう？　小笠原サンも部長としてようやってはるけどな。毎度毎度あすか先輩と比べられんのがカワイソーやけども」

夏紀はそう言って肩をすくめた。短く切りそろえてある髪を耳にかけ、でな、と彼女は説明を再開する。

「まず先頭にガードの二人な。そのあとにドラムメジャー。それからちょっとあいだを空けて金管が並ぶ。ちなみにトロンボーンが先頭な！　あいつらの前に立ったら、楽器で頭刺されるから！　で、金管と木管のあいだにバッテリーやらのパーカス集団が入る。ほらあそこで腹んとこに太鼓ぶら下げとるやつらがおるやろ？　バッテリーっていうのはあれのことな」

夏紀はそう言って準備中のパーカッションのほうを指差した。スネアドラムやバスドラムを抱えた彼らは、先輩に叩き方を指南されていた。

「初心者の一年生は木管の後ろについてきて、ようチアリーディング部のやつらが持ってるようなポンポン振りながら謎ステップを披露するわけ」

結局、説明を受けても謎ステップについてはさっぱりわからなかった。途中から話に興味がなくなったのか、緑輝は楽しそうにガードを振り回している。夏紀は葉月に絡みついたまま、ふうと大きくため息をついた。その視線の先には、先ほどの二年生、優子がいた。よっぽど香織のことを慕っているのか、犬のように彼女にまとわりついている。

「優子先輩、香織先輩のこと大好きなんですねえ」

葉月がつぶやく。そやな、と夏紀は意味ありげに笑った。

「じゃ、練習始めるで！」

あすかの言葉に、皆が立ち上がる。木陰から一歩足を踏み出すと、途端に日差しが肌を刺した。楽器に跳ね返った光が、ぱちぱちと至るところで瞬いている。中庭に集まった部員は八十人近くいる。こうやって皆が一カ所に集まると、吹奏楽部の規模の大きさがよくわかる。

「まずは一年生のステップ練習からねー、ステップの子らは並んでー」

その指示に、初心者の一年生たちがぞろぞろと中央に並ぶ。今年の一年生は二十八名だったが、そのうちの十名が初心者であるようだ。

「ステップは前教えたとおりです。右前戻る、左前戻る、を繰り返します。手は上に一回、下に一回を交互にやっていってな」

「はい」

小笠原の指示に、一年生の返事が響く。あすかがパンパンと手を叩いた。

「じゃ、こっちは歩く練習すんでー。本番は太陽公園を内回りに一周するから……だいたい一キロぐらいあります。めっちゃキツイとは思うけど、笑顔は絶やさないように！」

「はい！」

「じゃ、まずは並んでー」

あすかの言葉に、自然と隊列ができあがる。久美子は夏紀の隣に並んだ。あすかがいないため、ユーフォニアムは二人しかいない。その後ろに卓也と梨子が並ぶ。スーザフォンの大きなベルは、前を見るのに邪魔そうだ。

「じゃあしばらくぐるぐる中庭を回ります」

あすかは一人離れたところに立つと、その手を強く叩き始めた。

「五、六、七、八っ」

その言葉に皆が一斉に右足を上げる。太ももを大きく持ち上げ、まっすぐな姿勢をキープしたままパーカッションのリズムに合わせて歩行する。前列と後列。隊列を崩さないように意識しながら、部員たちは進み続ける。歩くとマウスピースの位置がずれ、音が振動で上下する。こうやって実際にやるとよくわかるが、座って吹くのと動いて吹くのとでは全然違う。合奏のときと異なり、些細なきっかけで音楽が崩壊する。音は空気を介して伝わるため、後列と前列では太鼓の刻むリズムの聞こえ方が変わってくる。それによるズレを防ぐのがドラムメジャーの役目なのだけれど、足を動かすのに夢中でなかなかあすかのほうを見ることができない。ユーフォニアムを抱える左手が疲労でびりびりと震え始める。

「今日はとにかく歩くから！　勝手に足を止めんように！」

あすかの叱咤《しった》に、久美子は内心で悲鳴を上げた。

第二十三回サンライズフェスティバル。パンフレットに書き込まれた文字を見つめ、久美子は一度大きくため息をついた。バスのなかでは、至るところで部員たちの会話が飛び交っている。

「うわあ！　見た？　さっき四葉のクローバータクシーが走ってた！」

窓の外を食い入るように見つめている緑輝が、必死に久美子のシャツを引っ張った。この子は本当に高校生なのだろうか。痛む頭を押さえながら、保育士にでもなったつもりで、よかったねーと久美子は笑った。その反応に満足したのか、緑輝は久美子から手を離すと再び窓へとへばりつく。

サンフェスの開始時刻は九時ということで、部活の集合時間もそれに合わせて早くなった。会場である太陽公園と北宇治高はお互い近い距離にあるので、移動はそれほどかからない。パーカッションやチューバなどの大型の楽器は前日のうちにトラックに積み込んであるため、当日にやる仕事などほとんど残っていなかった。しかし、衣装に着替え、髪をセットし、フォーメーションを確認するだけで、気づけば時間はなくなっていた。

「じゃ、ちゃっちゃと乗っていってー」

部長の指示により、皆がバスに乗り込んでいく。バスの座席は自由だけれども、席が確定するまでにいくらかの駆け引きが発生する。普段奇数で行動しているグループは当然ながら一人余るため、彼らは皆それとなく自分の相手を確保しようと二人グループを作っていく。残された生徒は気にしていないふりを装いながらも、孤独の烙印《らくいん》を押されないよう、ほかの相手を求めて右往左往する。仲がいいと思っていたはずの友達がほかの子と座っていたり、順風満帆に座れるはずだった偶数グループが補助席のせいで分裂騒動を起こしたりと、なんでもないように見える日常の風景のなかにはドロドロとしたドラマが潜んでいる。こういうところを見ると、久美子はいつも自分が学生であることにうんざりする。

「今日は頑張りましょうね」

バスに乗り込むや否や、まるで他人事のような口振りで滝が笑顔をこぼした。こんなときでも彼の微笑みは爽やかだ。その隣では美知恵が腕を組んで眠り込んでいた。

「なあ、久美子ちゃん！　キャント・バイ・ミー・ラヴの歌、聞いたことある？　吹奏楽アレンジやなくて、ビートルズのほうの」

窓の外を見張るのも飽きてきたのか、緑輝が久美子の腕を引っ張る。思考にふけっていた久美子は突然のことに頭が働かず、え？　と小さく聞き返した。

「だーかーら、ビートルズの歌！」

「いや、知らないけど」

「なんで知らんの！　あれめちゃめちゃカッコいいのに！　緑ね、ビートルズ大好きなの。パパが好きだから」

「あー、そうなんだ」

「久美子ちゃんも聞いておいたほうがいいよ？　カッコいいから！」

緑輝はそう言って、鼻歌で自分のパートを歌い始めた。

「コンクールは一緒に演奏しようね」

久美子はそう返したが、緑輝は鼻歌をやめず、ただ笑みを深くしただけだった。バスのざわめきのなかに、彼女の歌声が流れる。か細く美しい旋律はしかし、誰の耳に届くこともなく、くだらない喧騒にかき消された。


バスを降りると、すごい人だかりができていた。観客と奏者が入り混じっているのだ。衣装姿の久美子たちは、駆け足で楽器を積み込んだトラックのもとへと急ぐ。緑色の芝生の上では、ほかの高校がすでに準備を始めていた。チューニングをしているのだろう。ロングトーンの音があちこちから聞こえてくる。

「はーい、まずパーカスから降ろしていって！　ペットとかクラとか、自分で楽器持ってきた人は準備すんのあとにしてや。準備はまず楽器を全部降ろしてからやで」

あすかの指示に従い、部員たちは積まれた楽器を黙々と降ろしていく。スーザフォンというのは、なぜこんな奇妙な形をしているのだろう。取っ手があれば運びやすいのに。持ち方を試行錯誤しながら、久美子はそんなどうでもいいことを考えた。

楽器を運搬し終えてからの部員たちの行動は速かった。皆一斉に楽器ケースを開け、自分の楽器を取り出している。緑輝はガードを手に、同じくガード担当の先輩に相談しに行った。葉月はポンポンを抱えて、ステップの練習をしている。することのない久美子は金色のユーフォニアムを抱えると、ふっと息を吹き込んだ。

「頑張ろうなー」

すでに疲れ切った顔をしながら、梨子がこちらに近づいてくる。巨大なスーザフォンは、持っているほうは大変だろうが、見ているほうはテンションが上がる。汚れひとつない純白は、濃青の衣装によく映えた。

「アンタもとっととチューニングせんと時間なくなんで。ほら、うちがチューナー持ったるから」

夏紀がユーフォを抱えながら近づいてくる。その手にはピンク色のチューナーが握られていた。

慌てて久美子は楽器を構える。音を鳴らしているあいだ、夏紀が顔をしかめて高いやら低いやらと言ってくる。そのたびに管を抜き差しし、なんとか安定した音程へと調節できた。

「このあと、ここに立華《りっか》が来るからな。ぱっぱと動いて場所引き渡しせんと」

「立華高校ですか……」

久美子はうなる。京都で吹奏楽をやっていて、立華高校を知らぬ者はいない。吹奏楽コンクール、マーチングフェスティバル……さまざまな大会で華々しい記録を持つ、私立の超強豪校だ。テレビなどでもよく取材されているので、吹奏楽部にあまり興味がない人ですら立華高校の名前は知っている。

「アンタ知ってるか？　立華高校って『水色の悪魔』って呼ばれてんねん」

「水色の悪魔ですか？」

女子ばかりの集団の呼び名としては、いささか物騒な名前だ。久美子の疑問に、そうなんよー、と梨子がうなずく。

「スッゴイ笑顔のまま飛んだり跳ねたりするからなー。一回生で見といたほうがいいで。アレが全国レベルかーって思うから」

「アイツらは人間の皮かぶった化けもんやで。割とマジで」

夏紀がここまで言うのは珍しい。テレビ越しでその演奏を見ることは何度もあったが、実際に見たことは一度もない。運がよければ今日、その演奏が聴けるだろう。ひとつ楽しみなことが増えたな。そんな暢気《のんき》なことを久美子が考えていると、不意に喧騒のなかをトランペットの音が駆け抜けた。まっすぐに響く、芯の通った美しい音色。間違いなく、麗奈がチューニングしている音だろう。そこまで考えたところで、久美子ははたと気づいた。どうしてこんなにもはっきりと彼女の音が聞こえるのだろう。

辺りは騒がしかったはずなのに。

久美子の疑問は、意外にもすぐに解消された。皆が吹くのをやめたのだ。他校の部員すらも、麗奈に釘《くぎ》づけになっている。しんと、そこには奇妙な沈黙が落ちた。当の本人はそのことに気がついているのか、あるいは気づかないふりをしているのか。彼女は何食わぬ顔で、再びトランペットの音を鳴らした。

「何あの子、めっちゃ上手い」

「どこの高校？」

「あの青ジャケットは……確か北宇治やな」

「えー、なんであんな高校にあんな上手い子がおんの？　めっちゃもったいない」

「宝の持ち腐れってやつやな」

「あの子も入る高校ぐらい選べばええのに」

他校の生徒のひそひそ話がこちらにまで聞こえてくる。麗奈は表情ひとつ動かさず、淡々とロングトーンをこなしていた。それを眺める三年生の視線は、どことなく刺々しい。小笠原のほうをチラリと見ると、彼女は慌てた様子でオロオロと周りを見渡していた。それを見兼ねてか、あすかがパンパンと手を打つ。

「はーい、注目注目！　そろそろ移動するで！」

「はい！」

彼女の言葉に、先ほどの空気はいっぺんに霧散した。皆がキビキビと動き始める。さすがはあすかだ。空気を操ることに長《た》けている。

「ごめんなあすか、うちが不甲斐なくて」

小笠原があすかに耳打ちする。いつもは伸びている背も、そのときばかりはしゅんと丸まっていた。頼りになる副部長はニッと唇の隙間から白い歯をのぞかせる。

「何言ってんの、うちは何もしてへんって」

「いや、でも……」

「そんな細かいことはどうでもええから、アンタは今日の本番について考えとき」

彼女はケラケラと笑い声を上げると、小笠原の背を軽く叩いた。

「あすか先輩、今日のフォーメーションの話なんですが……」

「お？　わかった、いま行く。じゃあ晴香、またあとで」

そう言ってあすかは颯爽とその場を去った。衣装姿の彼女の後ろ姿は、いつにも増して頼もしい。小笠原はそんな彼女の背中をじっと見つめていたが、やがて大きくため息をついた。

「……これじゃ、どっちか部長かわからんな」

吐き捨てられたその声は、あまりにもか細かった。自嘲と焦燥がない交ぜになったような、そんな声だった。なんだか泣き出しそう。二歳年上の高校生を眺めながら、久美子は漠然とそんなことを思った。

「皆さんの演奏、楽しみにしてますからね」

「貴様ら、手を抜いたら承知しないからな」

顧問と副顧問のそんなありがたいお言葉を頂戴し、北宇治高校吹奏楽部は既定の場所へと整列した。今回のサンフェスには合計十六組の団体が参加している。それぞれが一定のあいだを空けて、順に同じ道を通っていくのだ。ちなみに北宇治高校は前から五番目、立華高校はいちばん後ろの場所に並んでいる。北宇治の演奏が終わり次第急いで駆けつければ、立華高校の演奏も見ることができるだろう。

「なんか、今日は……いつもより、緊張する」

後ろに並んでいた卓也がそう言って顔をしかめた。その表情は確かに普段よりも硬い。夏紀がケタケタと笑う。

「そりゃアレやろ、真面目に練習したからやろ」

「皆でこんなに練習したの、この部活に入って初めてやもんねえ」

梨子が感慨深げにうなずく。確かに、練習量はすさまじかった。滝から渡された計画表もさることながら、精神的にきたのはやはり合奏だった。

「あの先生、本当にネチネチしてましたよね」

久美子のつぶやきに、卓也が大きく首を縦に振る。

「あれは、ヒドイ」

「できるまでずーーーーっと同じとこやらすんやもん、死ぬか思った。っていうか、音程についてうるさすぎひん？　違いがわからへんことをネチネチネチネチ……」

「滝先生があんな人とは思わんかった」

去年までの顧問は緩かったなー、と梨子がしみじみと思い出を噛みしめている。

「お、始まるで」

夏紀の言葉に、皆、我に返った。あすかのメジャーバトンが上がる。ホイッスルの音と共に太鼓がリズムを刻み始め、そして演奏はスタートする。久美子は足を動かし、隊列を意識しながらその右足を踏み出した。

パレードは楽しい。体力的にはキツイけれども、それでも楽しい。リズムに身を委ねながら、久美子は列に従って歩みを進める。滝の指導は厳しかったけれども、それが無意味でないことに、部員たちは皆、気づいていた。まばらだった演奏はそろうようになり、ひとつひとつの楽器がよく響くようになった。基礎練習によってコツをつかんだのか、音程も安定するようになっている。滝の指導が細かくなっていったのは、その分、自分たちの演奏が上手くなったからだ。彼は優秀な指導者だった。それでも素直にその能力を認めることができないのは、なんだか悔しかったからだ。

「カッコいい！」

「北宇治、結構上手いじゃん」

「先頭の人、超美人だった！」

「ここの高校ってこんなに上手かったっけ？」

周りからの歓声が聞こえるたびに、脳内から何か熱い物質が生み出されて、久美子のテンションをドロドロに溶かしていく。熱に浮かされた思考は理性とは切り離され、どこか遠くへと旅立っていった。足は鉛を飲み込んだみたいに重いくせに、気持ちはちっとも疲れていない。いつまでもいつまでも歩いていけそうな気がする。

音楽は終わらない。楽譜の終盤に来ると、最初に戻る。延々とその繰り返し。譜面を脳内で追う必要はなかった。身体が覚えてしまっているから。後ろのほうでは黄色い歓声が聞こえる。意気揚々とスネアドラムがパフォーマンスをしているからだろう。彼らはぴったりと一ミリのズレもなく、動きをそろえて複雑なリズムを叩いている。そのパートが終わり、部員たちが手を振ると、パチパチと温かな拍手が降り注ぐ。トランペットのメロディーが流れを引き継ぐように、そのあとに続く。低音は決して目立たない。しかし、それでいい。そこが低音の楽しいところなのだ。疲労でくたくたの自分の身体を叱咤し、久美子は残りの力を振り絞る。ユーフォを支えているため、左手の感覚はすでになかった。それでも、終わりたくない。楽しい！

いままでどうやって進んできたか、記憶はないのに、あやふやな高揚感だけが久美子の身体を支配していた。次第に目的地が見えてくる。あすかのメジャーバトンが、ひときわ高く掲げられた。上がらなくなる太ももを無理やり引き上げ、久美子はなんとか進み切った。

演奏が終わると、部員たちはそそくさと自分の楽器を片づけ始めた。いつまでもゴール地点にたむろしていると、ほかの団体の邪魔になるからだ。汗だくで死にそうな顔をしている部員たちに、滝は澄ました顔で告げた。

「楽器の積み込みも終わりましたし、いまから十五時までは自由行動です。休憩しても構いませんが、夏のコンクールのことを考えればほかの団体さんの演奏を聴いて勉強するのがいいと思います。とくに立華高校さんは、昨年全国大会で金賞を取った強豪です。演奏を聴いたことのない一年生は、ぜひ一度鑑賞してみてください」

その言葉にいちばん強く反応したのが緑輝だった。

「久美子ちゃん早く早く！　立華高校の演奏見られなくなっちゃう！」

彼女はその瞳をキラキラと輝かせると、葉月と久美子の腕をつかんだ。

「そんな急がんくてもええんちゃう？」

汗まみれのまま、葉月がげっそりとつぶやく。ダメ！　と緑輝はリスのようにその頬を膨らませた。

「絶対見るの！　緑、これが楽しみで今日は頑張ったんだから！」

「そうなの？」

「そう！」

ここまで力強く言い切られては、断ることもできない。久美子たちは緑輝に引きずられるようにして鑑賞スペースへと移動した。先ほど北宇治が通過したときに比べると、明らかに人が増えている。立華高校が目当てなのは間違いない。

「もうすぐ見られるね！」

緑輝がうれしそうに叫ぶ。旗を振り回してあちこちを飛び回っていたのに、この子の体力はどこから湧いてくるのだろう。隣で放心状態の葉月を放置し、久美子もまたパレードへと目を向ける。

「来たあ！」

緑輝が叫ぶ。向こう側から、水色の集団が近づいてくる。団体からはまだ距離があるというのに、音がもうはっきりと聞こえている。楽器から放たれるまっすぐな音の弾丸が、空を裂いて久美子の耳へと飛び込んでくる。陽気なシンバルの音が、歓声のなかに落とされた。

「『錨《いかり》を上げて』かー、やっぱりカッコいい曲！」

緑輝がうれしそうに言う。どこか耳馴染みのあるこの音楽は、一九〇六年にアメリカ海軍の中尉であったチャールズ・ツィマーマンによって作曲された行進曲だ。

立華高校の吹奏楽部の衣装は、非常に可愛らしいものだった。水色で統一されたワンピースふうの衣装は爽やかで、芝生の緑によく映えた。ゴールはもう目前だ。一キロ近く歩いているというのに、部員たちは皆、満面の笑みで進んでいる。そこに疲労の色は一切見えない。その姿は確かに、水色の悪魔と呼ばれるのにふさわしい。彼らは文字どおり、飛んだり跳ねたりしながら演奏していた。木管楽器は飛び跳ねながら、金管楽器は左右にベルをスウィングさせながら、行進は進んでいく。恐ろしいのは、あそこまで大きく身体を揺らしているにもかかわらず、演奏に一切乱れがないことだ。いったいどれだけの練習を積めば、あんな芸当ができるようになるのだろう。何か秘密はないのだろうかと、久美子は思わず部員たちの顔を凝視してしまう。

「ん？」

そこで不意に、一人の部員と目が合った。

「あれ、梓じゃん」

梓とは、久美子の中学時代の同級生だった。当時トロンボーンだった彼女は、相変わらず同じ楽器を演奏していた。

「知り合い？」

緑輝が首をひねる。うん、とうなずきながら、久美子は立華高校へと手を振る。梓は目を細め、うれしげに楽器を揺らす。伝わったのだろう。確信はなかったが、久美子はそう思うことにした。


「いやあ、でも驚いたわあ。まさかあんなとこで会うなんて」

サンフェスが終了し、部活が解散したあとに、久美子と梓は合流した。中学時代も二人で遊ぶときは、よくJR宇治駅を待ち合わせ場所にしたものだった。平等院鳳凰《ほうおう》堂《どう》をモチーフにした外観を梓はひどく気に入っているらしく、ことあるごとにケータイでパシャパシャと写真を撮っている。駅の南口には大きな茶壺《ちゃつぼ》が置いてあるのだが、じつはこれはただのポストだ。これまた梓のお気に入りで、この場所は彼女の絶好のシャッターポイントになっている。

「梓って、そういえば立華に行ってたんだね」

「そうそう、吹部やるために行っててん。超スパルタやけど」

お茶屋さんで買った抹茶ソフトクリームをなめながら、梓は笑った。久美子は笑い返しながら、自分が買ったほうじ茶ソフトクリームを見つめる。やっぱり抹茶にしたらよかったかも。自分の優柔不断な性格が、こんなときにひょっこりと顔を出す。

「でもさ、北宇治も上手なったなあ。去年と全然違った」

「顧問が変わったからかもね」

「いやあ、めっちゃ上手くなってたで。強敵出現やなってバスのなかで話しとってん」

「立華高校だってすごく上手かったよ」

「そりゃまあ、当たり前やん？　なんてったって立華やし」

梓はそう言って胸を張った。彼女の母校への絶対的な自信は、努力と結果に裏打ちされている。そういうの、少しうらやましい。久美子は目を伏せ、ソフトクリームをなめる。

二人はそれから無言のまま、河川敷をひっそりと歩いた。夕陽が沈む。赤く熟れた太陽が、どろりと街並みに溶けていく。藍色の空の足元に、赤の残滓《ざんし》が名残惜しそうに張りついていた。白い月がうっすらと浮かび上がり、夜の訪れを示している。

「久美子さ、なんで南宇治《みなみうじ》高校に行かんかったん？」

梓は尋ねた。その問いはあまりに突然で、久美子がその意味を理解するのに一拍遅れた。

「逆に、なんで梓は私が南宇治に行くと思ったの？」

「だって、北中の子らはだいたい南宇治に進学したやん。うち、てっきり久美子も南宇治に行ったんやと思ってた」

梓はそこで足を止めた。溶けかけのソフトクリームがポタリと草の上に落ちる。久美子は笑った。

「そりゃあ高校を選ぶ理由なんていっぱいあるよ。学力とか、遠さとか」

「南宇治のほうが近いし、成績もたいして変わらんやん」

「まあ、そうかもしれないけど」

反論され、久美子は黙り込む。梓は言葉を待っていた。明確な答えを。

「……とくに意味はないんだけど、」

久美子はそう前置きして頭をかいた。

「スタートしたかったの」

「スタート?」

梓が首を傾げる。街灯に照らされ、川の表面がきらきらと瞬く。水面はとても美しいのに、その底がどうなっているのか、久美子は知らない。夜色をした水中で、何かがうごめく。それがなんなのか、久美子が知ることはない。

「ただ、新しく始めたかったの。知り合いがあんまりいない高校に行きたかった。だから北宇治に行ったの」

それだけ、と久美子は曖昧に微笑んだ。自分の考えを言葉にするのが、久美子はあまり好きではなかった。否定されたとき、ひどく傷つくから。

ふうん、と梓はうなずいた。

「そっかあ」

そう笑う彼女は、なぜだかひどくほっとしているように見えた。幼さの残る柔らかな輪郭線、それを伝って首筋にまで視線を落とす。シャツからのぞく鎖骨、布越しにわかる胸の膨らみ。少女は幼さを伴いつつも、確実に大人へと近づいていく。久美子を一人、置き去りにして。

「久美子もちゃんと考えてんねんな」

「考えてるって何よ」

「ごめんごめん、てっきりまた誰かに流されて高校も決めたんかと思ってたから」

梓はカラリとした笑みを見せた。ソフトクリームの欠片《かけら》を口のなかへと押し込み、彼女はぐっと身体を伸ばす。

「次会うときは、コンクールかな」

「そうだね」

「中学のときは無理やったけど……高校は、行きたいな。全国に」

「うん」

行けたらいいとは思う。実際に行けるとは思っていないけれど。久美子は小さく微笑んだ。

「梓なら行けるよ。立華だもん」

「そうやな」

梓は口端をついと持ち上げると、不敵な笑みを見せた。その表情が、急に変化する。細い睫毛が上下に揺れる。何かを思い出したように、あ、と梓は言葉を漏らした。

「そういえばさ、そっちの高校に麗奈いたよな」

「うん、いるよ？」

「あの子、なんで北宇治におんの？」

またその話か、と久美子は思わず眉間に皺を寄せた。昼間の会話を思い出したからだ。麗奈は確かに優秀な奏者だし、北宇治高校の吹奏楽部にはもったいない逸材かもしれない。しかし、面と向かってそこまで言わなくてもいいじゃないか。

久美子が不機嫌になったのを感じ取ったのか、ちゃうちゃうと慌てたように梓が首を横に振った。

「いやな、あの子確か立華高校から全額免除の話ももらってたてん」

「麗奈、頭いいからねー」

「吹奏楽部推薦ももらえたはずやのに、なんか知らんけど入学しても麗奈がおらんからさ。ずっと不思議に思っててん。まさかそっちにいたとはなあ」

梓はそう言って首をひねった。

「なんであの子、立華に来おへんかったんやろ。真面目に吹部やるなら、絶対うちのほうがいいのに」

「確かに……」

久美子もまた首をひねる。麗奈のことを考えれば考えるほど、謎ばかりが浮かんでくる。いったいあの子は何を思って北宇治高校に来たのだろうか。

「じゃ、お互い頑張ろうな！」

梓はそう言って手を振った。久美子もまた振り返す。久しぶりに会った同級生は、なんだか少しだけ大人びて見えた。

三　おかえりオーディション

　ゴールデンウィークが終わり、学生の本分、学習期間が始まった。中間テスト前の一週間は、すべての部活動が休止になるのだ。普段は働かせない脳味噌をフル回転させ、久美子はやっとのことでテストに打ち勝った。返ってきた点数は、平均点より少し上。まあ、悪くはない。よくもないけれど。

「皆さん、テストお疲れ様でした」

　テストが終わった最初の休日。集められた部員たちは、皆、神妙な面持ちで滝の顔を見つめている。彼らの顔には隠し切れない不安がにじんでいた。

「……さて、中間テストが終わったいま、夏休みまでに残されたビッグイベントは期末テストのみになりましたね」

　テストをイベントに数えるのは遠慮していただきたい。期末テストのことを考えると、憂鬱だった気分がさらに下降する。久美子は思わず顔をしかめた。

「我が吹奏楽部はこれからコンクール出場まで、イベントへの参加予定はありません。

ですので皆さん、思う存分練習ができると思います」

なんだか嫌な予感がする。久美子の予想どおり、滝はポケットからくしゃくしゃの紙切れを取り出した。

「ここに載っているのは、今年度の課題曲のリストです」

「課題曲、ですか？」

小笠原がおずおずと尋ねる。そうです、と彼はうれしそうにうなずいた。

吹奏楽コンクールで全国大会まで開催されるA部門や大編成の部では、課題曲と自由曲の二曲の演奏が義務づけられている。コンクール参加者たちはこの課題曲のなかから各々好きな楽曲を選び、会場で披露するのである。人数の規定もあり、高校生は五十五名以下とされている。演奏時間にも規定があり、課題曲・自由曲を合わせて十二分以内で演奏しなければならない。十二分を超過した場合、審査はなされず失格となる。この十二分という制約が思いのほか厳しく、失格となる団体が全国大会でもときどきある。意外に制約の多い大会なのだ。

「いままではどうやって曲を決めていたかはわかりませんが、今年は私と松本先生とで課題曲も自由曲も決めさせていただきました。ほかの希望があった方には申し訳ありません」

言葉とは裏腹に、滝はちっとも申し訳なさそうではない。

「で、今年の曲はなんなんですか?」

あすかが目を輝かせる。滝はもったいぶるように一度口をつぐみ、それからふっと息を吐いた。

「今年の課題曲は、堀川奈美恵《ほりかわなみえ》氏の『三日月の舞』、自由曲は『イーストコーストの風景』に決まりました」

——と言われても、その曲がどんな楽曲かさっぱりわからない。そう思ったのは久美子だけではなかったらしく、ほかの部員たちも神妙な面持ちで拍手している。

「三日月の舞! 先生わかってますねえ!」

この教室で唯一楽曲を理解している部員であろうあすかが、興奮して立ち上がった。その頬は赤く燃えている。

「堀川奈美恵氏といえば京都府生まれ、京都府立芸術大学の作曲科に入学し、同大学院を卒業した若き作曲家ですね! オーケストラ作品や管弦楽、吹奏楽と幅広い舞台で活躍している、いまをときめく女性作曲家ですよね。彼女の作品の魅力はやはり繊細なメロディーとダイナミックな構成ですね。とくにホルンのメロディー部分は最高です。低音のハーモニー部分もカッコいい! 絶対今年は『三日月の舞』を吹くしかないと思っていたんですよ! それと——」

「田中さん、気に入っていただけたようで何よりです」

あすかの流れるような演説を、滝は躊躇《ちゅうちょ》なく打ち切った。彼女はいまだ興奮冷めやらぬ様子で、拳を握り、隣に座っていた香織に話し続けている。

「それでですね、これからが重要なお話です」

滝はそう言って、教室中を見渡した。

「今年、吹奏楽部の部員は八十一名います。そのうち十名は初心者ですので、実際にA部門で出場するのは残りの七十一名となります。しかし、A部門の定員は五十五名です。どう考えても人数が余ります」

皆が息を呑んだ。コンクールのA部門に出場できるのは五十五名のみ。参加できない者が現れるのは当然だ。滝は微笑み、言葉を続ける。

「そこで私は、期末テスト前の二日間にオーディションをやることに決めました」

オーディション。その単語に真っ先に反応したのが三年生だった。ざわめく一年生たちをよそに、彼女たちは立ち上がり、真っ先に滝に反論した。

「先生、私たちはいままで学年順で出場メンバーを決めてきました。順当に考えたら、一年生の経験者がB部門に行くのが当然ではないでしょうか」

吹奏楽コンクールの部門は、何もA部門だけではない。支部や都道府県単位で、小学校部門や小編成部門などといったいわゆるB部門や、合同部門、いわゆるC部門を行う場合も多い。全国大会への道は開かれていないが、人数や予算に制約のある団体を含め、コンクールに参加意思のあるほとんどの吹奏楽団体が参加できるようになっている。人数が多い学校の吹奏楽部では、A部門とB部門に分かれてコンクールに参加することもよくあることだ。そして北宇治高吹奏楽部もまた、毎年A部門とB部門に分かれてコンクールに参加してきた。

「でも、それって不公平じゃないですか？」

滝は笑顔を崩さない。

「一年生だって努力している子はたくさんいます。彼らの努力を見ず、ただ年齢だけでメンバーを決めるというのはあまりにも乱暴だと思いますが」

「ですが、私たちはいままでそうしてきました」

「でも、いまの顧問は私ですよ？　これまでのことなんて関係あります？」

彼の反論に、三年生はぐっと言葉を詰まらせた。

「そんなに難しく考えなくて大丈夫ですよ。三年生が一年生より上手であれば、なんの問題もない。……違います？」

いやらしいやり方だな、と久美子は思った。あの言い方では、三年生は黙るしかない。ここで反論しては、一年生より自分たちのほうが実力がないと発言するようなものだからだ。

「あの、オーディションってどうやるんですか？」

おそるおそる香織が挙手する。

「いまから私が楽譜を配布しますので、練習してきてほしいのです。課題曲と自由曲、それぞれをテストします」

それと、と彼は言葉を続けた。

「ソロパートもオーディションで決めるので、そのつもりで」

今度こそ、教室は騒然となった。ソロとは単独の演奏者によって演奏される楽曲や楽曲の部分、あるいは楽曲のなかでの独立したパートを示す言葉だ。その担当を誰にするか、決め方はさまざまではあるが、この学校では学年が上の者が優先的に吹くことになっていた。滝の言葉は、そのルールを覆す。学年でソロを決めないということは、三年生を差し置いて一年生がソロの担当になることも当然ありうるのだ。

香織は不安げな目で麗奈を見やる。麗奈はそれに気づいているのかいないのか、ただまっすぐに滝ばかりを見つめている。

「A部門の人数制限は五十五名までですが、私がA部門に参加するレベルではないと判断した人間は、当然B部門に移ってもらいます。結果的に五十五名以下になることもあると思いますが、そうならないよう皆さん頑張ってくださいね」

ちなみにこれがオーディションまでの予定です。そう言って彼が配布したのは、例のごとくみっちりと課題が書き込まれた計画表だった。これには思わず久美子も顔をゆがめる。見ていると眩暈《めまい》が起きそうなほどの過密スケジュールだ。

「これはすごい……」

さすがのあすかもうなっている。土日はほとんど部活に費やされ、休日も少ない。受験生である三年生にはかなりの負担になるに違いない。そこまで考えて、久美子はハッと顔を上げた。葵のことを思い出したからだ。彼女はどうするのだろう。そう久美子が考えたのと、葵が手を上げたのは、ほぼ同時のことだった。

「あの、いいですか」

葵は言った。

「どうしたんです?」

滝が首を傾げる。葵は一度自身の手のなかにある紙へと視線を落とし、それからぐっと息を吸い込んだ。ほっそりとした指のなかで、灰色帯びた紙がくしゃりと潰れる。

「私、部活辞めます」

え、と動揺の声を漏らしたのは小笠原だった。その瞳が大きく見開かれる。

「理由はあるんですか?」

滝が尋ねる。その声にいつもの柔らかさはない。顧問の真剣な表情に、葵もまたその口元を引き締めた。

「私、受験勉強に力を入れたいんです。でも、部活を続けたままじゃ多分、志望校には行けません。前からずっと悩んでたんですけど、オーディション後に言ったら迷惑になると思うので。だからいま、辞めようと思います」

葵先輩、辞めないでください。サックスの後輩たちが口々に、悲しげな表情でつぶやく。その反応から葵の部内での人望が見て取れた。

「……そうですか」

滝はそう言って目を伏せた。その大きな手のひらが、悩ましげに自身の頬に当てられる。その口から漏れたのは、大きすぎるため息だった。自身の気持ちに整理をつけるように、彼はすっと背筋を伸ばす。

「わかりました。正式な手続きは後日行いますので、月曜日にでも職員室に来てください」

「はい、お手数をおかけしてすみません」

「いいんですよ。あなたが自分でそう決めたなら、それを貫いてください」

受験、頑張ってくださいね。

その言葉に、葵は「ありがとうございます」と言って深々と頭を下げた。

しばらくの沈黙のあと、葵は顔を上げた。その表情は晴れ晴れとしていて、なのにどことなく寂しげに見えた。彼女は机に引っかけた鞄を手に取ると、そのまま教室を歩いていく。サックスの一年生のなかには、泣き出す者もいた。彼女は扉の取っ手に手をかけ、そこで一度振り返った。その視線があすかに向けられる。彼女はただ、じっと葵を見つめていた。そこに感情は一切ない。去りゆく部員にあすかは、名残惜しさすら示さなかった。葵がふと口元を緩める。今度こそなんの未練も見せない様子で、葵は教室を出ていった。

唐突に、久美子のなかに衝動が湧き上がる。その背中を捕まえなければ。焦燥にも似た感情は、どこか義務感に似ていた。ガタリ。太ももが椅子を弾く。自身が立ち上がった音なのだと、久美子は脳味噌のどこかで理解した。

「待って、葵ちゃん！」

身体が勝手に動いていた。突き動かされるように、久美子は音楽室を飛び出す。葉月が制止する声が後ろで聞こえたが、久美子は聞こえないふりをした。

「葵！　待って！」

久美子がたどり着くよりも前に、葵のもとには先客がいた。小笠原だ。久美子よりも先に音楽室を出ていたのだろう。息を切らした彼女は、スカートがめくれ上がっているのも気にせず、ただ葵の前に立ちはだかった。

「待ってや」

「……………」

葵は困惑したように眉根を寄せた。久美子は気づかれないよう、こそこそと物陰に隠れる。なんだか出ていきにくい雰囲気だ。

「部活、辞めるん？」

「うん」

「なんで、」

「さっきも言ったやん。受験勉強せなあかんし」

葵はそう言って目を逸らした。小笠原は彼女をにらみつけると、その腕をつかんだ。

「練習キツインやったら、B部門でやればいいやん！」

「そんなん、一生懸命にやってる子らに失礼やわ」

「じゃあ定期演奏会だけでも出ようや。三年はそこで引退やんか。それまで頑張ってよ」

「無理や」

「なんで」

「だって、私は……」

葵の表情がゆがむ。真っ白な廊下に、二人分の影が落ちる。窓の外はまぶしく、なのにここだけは薄暗い。グラウンドからは野球部のかけ声が聞こえてくる。それはどこか遠い世界のことで、この空間だけがすべてから隔てられているような気がした。

目に見えない膜のなかで、二人の少女は溺れそうになっている。

小笠原は視線を外さなかった。その視線から逃れるように、葵はうつむく。

「私は、そこまで吹部が好きちゃう」

喉の隙間から、声が漏れる。それを漏らすまいと、葵は唇を噛んだ。艶のあるその頬に赤みが差す。

「部活なんて、ほんまはもっと早く辞めたかった」

こんな部活、大嫌い。吐き捨てられた言葉に、小笠原が息を吞んだ。一歩、また一歩と、彼女は逃げるように後ずさりする。その手首を、葵がつかんだ。

「晴香だって、去年のこと覚えてるんやろ？」

「……うちは、」

「なのに、のうのうと全国目指すやなんて、私には言えへん。なんでみんな平気なん？　私にはわからへん。去年あんなにあの子らのことを責めてたくせに」

「それは……」

「私はもう無理。耐えられへん。一生懸命頑張りますなんて、私には言う権利ない」

それは晴香もやろ？

告げられた言葉に、小笠原は何も言わなかった。ひとつに結われた彼女の長い髪が、右に左に揺れている。

葵はフッと息を吐くと、そのまま乱暴に小笠原の手を払いのけた。彼女は反応しない。その瞳は、力なく自身の足元へと向けられている。

「いい機会やってん。どっちにしろ、受験勉強せなあかんのはほんまやし。どう転んでも、部活は辞めなあかんかった」

もういいやろ？

そう素っ気なく告げ、今度こそ葵は歩き始めた。彼女の背に未練はなく、だからこそ部長に葵を呼び止める権利はなかった。

小笠原は、動かない。決して、彼女を追わない。

「葵ちゃん！」

思わず、声が出ていた。物陰から突如として現れた人影に、葵が驚いたように振り返る。

「久美子ちゃん……なんでここに」

「葵ちゃんが部活辞めるとか言うから……」

盗み聞きしていたと思われているのだろうか。ばつが悪くなり、久美子の言葉は尻切れに終わる。葵はふと息を吐き出すと、その口元を微かに綻ばせた。

「心配してくれたん？　ありがとう」

先ほどの刺々しい声音から一転し、彼女の声は優しかった。小笠原がのろのろと顔を上げる。その瞳が、こちらを捉えた。

「黄前さん、いまはミーティング中やけど。なんでここにいんの」

その言葉に、葵がわずかに目を細める。

「それは晴香も同じやろ？　部長がなんでこんなとこにいんの。早く戻り」

「それはそうやけど、」

「久美子ちゃんも、ほかの人に迷惑かけたらあかんでしょ。さっさと音楽室に戻ったほうがいいよ」

じんわりと甘さを含んだその言葉は、間違いなく拒絶だった。彼女の本音を覆い隠す、何重ものオブラート。ねえ、葵ちゃん。本当は何を考えてるの？　普段なら簡単に聞けるはずの問いが、喉の奥に引っかかって出てこない。

「それじゃあね」

葵はそう言って、今度こそ二人の前から立ち去った。紺色のセーラー服越しにわかる、彼女の細い体のライン。スカートが揺れるたびに、血色のいい太ももが見え隠れしている。彼女の足取りに迷いはない。取り残された久美子はただ、その背中が小さくなるのを眺めるしかなかった。

葵が去り、その場には静寂だけが残った。先ほどから微動だにしない部長と二人きり。どうしていいかわからず、久美子はうろたえたように視線をあちらこちらに散らす。小笠原は顔を上げず、ただ小さくつぶやきを漏らした。

「……やっぱり、」

その声を、久美子の耳が拾い上げる。

「やっぱり、うちが部長なんて無理やったんや」

彼女はそう言って、その場に座り込んだ。ぐしゃぐしゃと自身の髪をかき回し、そのままふっつりと黙り込む。肩を流れる黒髪の隙間から、彼女のほっそりとした白い首筋がのぞく。虫にでも刺されたのだろうか。滑らかなその表面に、ぷっくりと膨らむ赤い痕。

「……先輩？」

おそるおそる、久美子は声をかける。彼女は顔を上げない。スカートをつかむその指先は、微かに震えていた。

「先輩、大丈夫ですか」

おずおずと、久美子はその肩に手を置く。小笠原は顔を上げない。

「あすかが部長やったら、そしたら葵も辞めんかったのに」

「そ、そんなことないですよ」

なだめる声がうわずったのは、仕方ないことだろう。よそよそしさを伴ったその言葉に、小笠原はますます丸く縮こまる。

「ええねん、どうせわかってたから。うちはあすかと違って無能やし、部長なんて立派なもんには初めからなれんかったんや。皆、そう思ってる。なんであすかじゃなくてコイツが部長なんやって」

「お、思ってないですよそんなこと」

「無理に否定せんでもいい。それぐらい自分でもわかってるから」

小笠原の声はどんどんと沈んだものとなる。

「小笠原部長だって、あすか先輩にはないいいところをたくさん持ってますよ。私たち後輩は、みんなちゃんと知ってます」

「じゃあそれを言ってみいや！」

感動して納得してくれると思いきや、予想外の反応をされた。

「そ、それはですね……」

久美子の口端がひくりと引きつる。

「ほら、先輩って気配りもできて優しいし、」

「ほかには？」

「ほかには……ほら、後輩にもちゃんと挨拶してくれるし、優しいじゃないですか」

「ほかには？」

「え……あ！　あの、あれですよ。たまに差し入れとかもしてくれて、優しいですよね！」

「優しいしかないやんか！」

　カッと目を見開き、小笠原が立ち上がる。その迫力に、思わず久美子は後ずさった。彼女の目元は赤く腫れ上がっており、もともと細い目がさらに細くなっていた。

「優しいなんてなあ、褒めるとこがないやつに言う台詞やろ？　うち、わかってんねんからな！」

　ビシッとこちらに指を突きつける小笠原に、久美子はただただ困惑するしかない。この人、こんな性格だったのか。小笠原先輩はメンタルが強くないから。梨子の言葉が、不意に脳裏をかすめていく。

　こちらをじっとにらみつけていた小笠原だったが、数秒の間のあと、その視線を地面へと落とした。伏せた睫毛が微かに震えている。赤みを帯びた頬に、前髪からあふれた影がひっそりと憂いを落とした。つんと澄ましていた表情が、くしゃりとゆがむ。

「どうせうちなんか……うちなんか……」

「まーた、ぐちぐち言ってんの？」

　小笠原の背後から、突然腕が飛び出した。十本の指が、彼女の肩を捕まえる。抱きつかれた衝撃で、小笠原の身体ががくりと傾いた。唐突に現れた人影に、久美子は目を見開いた。

「あ、あすか先輩？」

「ん？　何？」

何事もなかったかのような表情で、あすかが小笠原の肩の向こうから顔を出す。え？　と小笠原は驚いたように振り向き、至近距離にあるあすかの顔を見つけ、うぎゃっと奇妙な悲鳴を上げる。

「い、いつからいたん？」

「んー？　ほんまついさっきかな？　二人が遅いから迎えに来てん」

あすかはそう言って、口端をついと持ち上げた。

「で？　二人はこんなところで何話してたん？　てっきり葵を引き止めに行ったのかと思ったんやけど」

「あ、葵ちゃ……じゃなくて、葵先輩は先に帰っちゃいました」

「じゃあもしかしてアレか、久美子ちゃんは晴香にずっと絡まれてたんか」

「べつに絡んでないわ！」

顔を真っ赤にして、小笠原が反論する。あすかは口元を指で押さえると、クックッと愉快げに喉を鳴らした。

「あかんで晴香、その情緒不安定なところ直さんと。なんたって部長やねんから」

「うっさいなー」

すねたように小笠原がそっぽを向く。その耳元で、あすかはささやく。

「でも、そんなところも好きやけど」

ニコリと笑みをこぼすあすかに、小笠原の顔が一気にゆで上がった。

「あ、あほなこと言わんとって！」

「もう、うれしいくせに」

「うれしないわ！」

全力で否定しているが、それが照れ隠しであることは火を見るよりも明らかだ。どうやら部長の機嫌も直ったらしい。久美子はそっと息を吐く。

あすかは慣れた手つきで小笠原の背へと手を伸ばした。

「ほら、もう戻るで」

「わかってるって」

彼女に促されるがまま、小笠原は足を進めている。さすがあすか先輩、人をなだめるのが上手だなあ。そんなことをぼんやりと考えながら、久美子も二人のあとを追う。

あすかの言葉に小笠原が反論し、それを見てまたあすかが笑う。和やかな二人の会話。先ほどまでのうろたえた姿はどこに行ったのか、小笠原の表情はいつものものに戻っていた。その隣で、あすかが楽しげに目を細める。涼やかな瞳が、一瞬だけこちらを捉えた。その視線のあまりの冷たさに、ギクリと久美子の心臓が飛び跳ねる。美しい友情。少女たちが可憐に微笑み合う、清らかな光景。そこにくっきりと浮かび上がる、毒々しい色をした違和感。

「久美子ちゃん、どうしたん？」

久美子が立ち止まったのに気づいてか、あすかが振り返る。久美子は曖昧な笑みを口元に張りつけながら、大きく頭を横に振った。

「い、いや、なんでもないです」

「そう？　よかった」

あすかは笑って、再び前を向いた。どくどくと暴れる心臓を押さえながら、久美子は無言でそのあとを追った。


「斎藤先輩、本当に辞めるん？」

座席の壁にもたれかかりながら、秀一は尋ねた。

久美子たちが戻ってきたあと、部活はすぐに解散となった。もやもやとした感情を抱え、一人、駅のホームで立ち尽くしていた久美子に、帰ろうと声をかけてきたのが秀一だった。そういえば、彼と一緒に電車に乗るのはこれが初めてな気がする。緑色の座席の表面に指を滑らせながら、久美子は肩をすくめた。

「辞めると思うよ。葵ちゃん、本気だったし」

「小笠原部長と田中先輩の二人がかりでも説得できひんかったってわけ？」

がたんがたん。電車は揺れる。四角に切り取られた風景が、右から左へと流れていく。秀一は鞄を膝の上に乗せ、大きく欠伸《あくび》をした。久美子は静かに目を伏せる。

「あすか先輩は……そもそも説得とかしてなかったし」

「でもあの人、お前と部長が出ていったのを見て追っかけていったし。俺はてっきり斎藤先輩を引き止めに行ったんや思った」

「違うよ、あすか先輩は……」

久美子はそこまで言って、ハッとして口をつぐんだ。あすか先輩は――そのあと、自分は何を言おうとしていたのだろう。久美子は自身の額を押さえる。脳内に浮かぶのは、あのときのあすかの瞳だった。音楽室で葵を見送ったとき、そしてあすかを迎えに来たときの、あの目。一見優しげにすら見える彼女の双眸の、その奥の奥。感情の読めない、ただただ冷え切った瞳。彼女のあの目が、いまの久美子にはなぜだかひどく恐ろしかった。

「田中先輩がどうしたん？」

秀一が首をひねる。なんでもない。久美子はそう言って、首を横に振った。二人のあいだに静寂が落ちた。がたんがたん。がたんがたん。車体が大きく揺れ、電車は急カーブする。

「俺さ、」

　秀一がぽつりと口を開く。久美子は顔を上げ、彼へと視線を注いだ。学生服からのぞく首筋。中学時代と比べて、その線はわずかながらにたくましいものとなった。

「俺、あの先輩苦手やわ」

「あの先輩って？」

「田中先輩」

　秀一はそこで顔をしかめた。久美子は驚いて、とっさに返事ができなかった。

「ダ、ダメだよ、部活でそれ言ったら。あすか先輩の悪口言ったら、絶対袋叩きに遭うよ？」

「そんなこと知ってる。あの人が人気者なんも」

「じゃあ、いきなりなんでそんなこと言い出したの。っていうか、最初のころはすごい田中先輩のこと尊敬してなかった？」

「そうなんやけどさあ……でもなんか、な。あの人、完璧すぎんねんなあ」

「はい？」

　予想外の言葉に、久美子は思わず聞き返す。

「いや、それって欠点じゃないじゃん」

「欠点っつーかさ……わっかんねーかなあ」

「わかんない」

きっぱりと切り捨てた久美子に、秀一は呆れたように頭をかいた。

「もうちょい自分で考えろよ」

「だって意味不明なんだもん」

その言葉に、秀一の眉間に皺が寄る。

「だからさ、なんていうかあの、私は完璧ですオーラが嫌や。吹部のやつらとか、あの先輩持ち上げすぎちゃう？」

「なんだ、ただのひがみか」

「ひがみで悪かったな」

すねたように彼はそっぽを向く。久美子は苦笑しながら、その肩を叩いた。

「でも、ちょっとわかる気がする」

「え、」

久美子の反応が予想外だったのか、秀一が目を見開く。

「何よ」

「いや、お前って田中先輩信者だと思ってたから」

「いや、そりゃあ尊敬はしてるけどね。すごい先輩だし」

けど、と久美子はそこで言葉を切る。刺激的な表現にならないよう、できるだけ言葉を選ぶ。

「私らが思ってるような人ではない気がするんだよね。ただ優しくて面白いんじゃなくて、もっとこう、私らとは別次元で頭使ってるって感じ」

「見てるものが違う、みたいな？」

「うん、そんな感じがする」

だからきっと、久美子はあの瞳が怖いと思ったのだ。自分が見ている世界と彼女が見ている世界が、あまりに違うものだから。

そうかもしれんな、と秀一はうなった。窓から差し込む光が、彼の輪郭をなぞり上げる。鼻の下に残る、うっすらとした髭《ひげ》の痕。骨ばったその指が悩ましげに鞄の上で行ったり来たりを繰り返す。それを見ているとなんだか息苦しくなって、久美子は思わず目を伏せた。

がたんがたん。がたんがたん。電車の音が、響いていた。

「久美子って、トロンボーンの塚本と付き合ってんの？」

颯爽と耳に滑り込んできたその台詞に、箸の先から卵焼きがポロリと落ちた。机の上に転がる、無残な姿をした黄色と白。

「……はい？」

久美子はやっとのことでそれだけを返した。そのあいだにも、脳味噌は熱を上げてぎゅるぎゅると急ピッチで働いている。誰だ、塚本って。そう考え、そこでようやくその名前が秀一を指すものであることに気づく。

「だから、塚本と付き合ってんの？」

葉月と緑輝が爛々と瞳を輝かせて、こちらの返事を待っている。

皆、思い思いの話をしているのか、教室は騒がしい。窓際の席を寄せ合い、三人で食事を取るのは、もはや日常の習慣だ。緑輝はパン屋で買ってきた高そうなサンドウィッチ、葉月はコンビニで買ったおにぎり、そして久美子は母親が作ったお弁当を食べ進める。途中までは普段どおり和やかな会話が行われていた。そこに突然、先ほどの言葉が投下されたのだ。

「いや、付き合ってないけど」

「なーんだ、つまんないの！」

緑輝がそう返す隣で、葉月がほっとしたように息を吐いた。

「なんでそんな話になったの？」

久美子の問いかけに、緑輝が嬉々《きき》として話し出す。

「いやね、緑と葉月ちゃんが電車に乗ってたら、二人が一緒に帰ってるとこ見ちゃったから」

「あの部活の日？」

「そうそう」

緑輝が無邪気に首を縦に振る。それから隣の葉月を見やり、よかったね！　と屈託なく笑いかけた。

「べ、べつによくないわ！」

葉月が真っ赤な顔をして反論する。それを無視し、久美子は緑輝へと声をかける。

「何がよかったの？」

「えへへー、あのね、緑は気づいちゃったの！」

なんとも楽しそうに、彼女は胸を張る。その隣で葉月が慌てふためいて緑輝の腕をつかんだ。

「ちょっ、緑っ――」

「葉月ちゃんってばね、塚本君のことが好きなんやって！」

その言葉に、久美子は一瞬息が止まった。頭のなかが真っ白になり、続く言葉が見つからない。

「なんでそんなこと言うん！」

「えー、いいじゃん」

二人はこちらの様子など気づいた様子もなく、言葉の応酬を繰り返している。

「でも、緑、ほっとしたんだよー。久美子ちゃんと葉月ちゃんが三角関係にならなくてよかったーって」

「っていうか、べつにうちは塚本のことが好きなわけじゃないし……ただちょっと気になるなって思ってるだけやし」

「それって好きってことやろー？　ふふーん、緑は全部わかってるんやからね！」

　そう告げる緑輝は本当に楽しそうだった。小学校、中学校と女子校だったからだろうか。彼女はこういった恋愛話に敏感だ。

「でもさ、なんで二人は一緒に帰ってたの？　塚本君と久美子ちゃんって仲良し？」

「あぁ、うん。私のお母さんと秀一のお母さんが昔からの友達らしくて、小三のときにこっちに引っ越してきてからはずっと家族ぐるみの付き合いなの。まあ、いわゆる幼馴染ってやつかな」

「そうなんだ！　いいなあ、幼馴染って。緑も欲しい！」

「いまから作れば？」

「作れないから幼馴染やねんって！」

　ぷっくりと緑輝が頬を膨らませる。そこをえいと指で突っつくと、ますます緑輝はすねたように唇をとがらせた。その隣で、葉月が呆《ほう》けたように久美子の顔をぼーっと眺めている。

「葉月？」

その言葉に我に返ったのか、え、と葉月が身を固くする。

「どうしたの？」

「い、いやべつになんでもない」

明らかになんでもなくない顔をして、葉月がぶんぶんと首を横に振る。その仕草にピンと来たのか、緑輝がにやにやと意地の悪い笑みを浮かべた。

「葉月ちゃんはお悩み中やねん。どうやって塚本君をあがた祭りに誘おうかなーって」

「もう緑！　なんでアンタはそんな余計なことばっか言うん」

「えへへー、いいやんべつに」

あがた祭りとは、毎年六月五日から六日未明にかけて行われる、県《あがた》神社のお祭りのことだ。深夜に沿道の灯火をすべて消し、暗闇のなかを梵天渡御《ぼんてんとぎょ》が行われることから、別名「暗夜の奇祭」などと呼ばれている。

「そういうアンタは誰と行くんさ！」

顔を真っ赤にして尋ねる葉月に、緑輝がにっこりと笑う。

「緑はね、ママと行くよ！　毎年二人で行ってるの」

「お、親と行くの？」

「そうだよ？　ママと緑は仲良しさんやから」

にこにこと笑い続けている緑輝に、久美子は脱力した。この年で母親と祭りに行くだなんて、久美子には考えられない行動だ。それは葉月も同じだったようで、先ほどまでの迫力はどこに消えたのか、もういいわ、と降参するようにひらひらと手を振っている。

「久美子ちゃんはどうするのー？」

「うーん、面倒だから行かないでおこうかな」

その返答に、えー！　と緑輝が目を見開いた。不満を表しているつもりなのか、バシバシとその手のひらが机を叩く。

「せっかくのお祭りなのにもったいないよ！」

「そ、そう？」

「うん、もったいない。絶対行ったほうがいいって！」

あ、もしよかったら緑とママと一緒に行く？　これはいい考えだとはしゃぐ緑輝の提案を、久美子は丁重に断った。

滝が自由曲として選んだ『イーストコーストの風景』は、ナイジェル・ヘス作曲の吹奏楽曲だ。作曲者がアメリカの東海岸を訪れたときの印象をもとに書き上げた、ニューヨークとその近郊の地域を題材にした三曲で組曲は構成されている。第一楽章のシェルター島、第二楽章のキャッツキル山地、そして第三楽章のニューヨークだ。すべてを演奏するとなると確実に制限時間を超えてしまうので、滝は第一楽章のすべてと、第二楽章と第三楽章の一部をカットした。第二楽章のメインはやはりコルネットのソロだろう。コルネットとはトランペット奏者が持ち替えて演奏する楽器のことだ。本来円筒管のトランペットと円錐管《えんすいかん》のコルネットはまったく異なる楽器なのだが、奏法が似ていて調性も同じなので、現代ではトランペットの派生楽器として扱われることが多い。今回のソロもトランペットパートの人間が吹くのだろう。この楽章ではキャッツキル山地の平穏でありながら威厳のある姿が描かれている。その次の第三楽章、マンハッタンの街中の喧騒と活気を表すこの曲のいちばんのメインは、やはり緊急車両のものと思しきサイレンだ。楽曲の終盤でサイレンが鳴り響き、これをきっかけに最後の盛り上がりを形作る。ミュージカルの一場面のような、物語性と華やかさを備えた曲だ。

「ほんまカッコいい曲やわあ」

パート練習の教室で、楽譜をうっとりと眺め、惚けたようにあすかがつぶやく。その背後では、卓也が険しい顔で楽譜に何やら数字を書き込んでいる。よく見ると、それは『コパカバーナ』の楽譜だった。

「先輩、何やってるんですか？」

久美子の問いに、彼はゆっくりと顔を上げる。

「……加藤さんのために、指番号を、書いてる」

「葉月がその曲を吹くんですか」

「そうみたいやな。B部門は美知恵先生の指揮で『コパカバーナ』を吹くみたいや。ま、パーカスはいま人数多いから、B行きの子らも多いやろ。楽器の編成考えたら、いい曲チョイスや思うわ」

後ろから夏紀がぬっと顔を出す。その視線の先には、卓也がにらみつけているコパカバーナの楽譜がある。チューバやユーフォは低音楽器なので、基本的にその譜面はへ音記号ばかりとなる。日常生活ではまったく遭遇することがないであろう音符に四苦八苦しながら、普段は演奏しているのだ。慣れてくると音符を見るだけでどの音かわかるようになるのだが、さすがに初心者の葉月にそれは難しいだろう。というわけで、彼女の代わりに卓也が音階を楽譜に書き記しているのである。

「久美子ぉ、アンタよくこんな楽譜吹けるなあ」

梨子に指導を受けていた葉月が、音を上げたように久美子へと近づいてくる。その後ろでは、緑輝がいつものごとく基礎練習を黙々とこなしていた。

「いや、ユーフォとチューバは違うから。厳密に言うと、そんな楽譜は吹いたことないけど」

「似たようなもんやって。同じ低音やん」

「そんなんやったらコンバスも同じ低音やもん！　もっと緑も褒めてよ！」

駄々をこねる緑輝に、梨子が微笑みかける。

「緑ちゃんはほんまにすごいよねえ」

「えへへー、ありがとうございます」

褒められて満足したのか、緑輝はうれしそうな顔で再び練習へと戻った。少女の小さな指先が弦を弾く。じりじりと足の裏を焦がすような低音が、ぽつりぽつりと教室に落ちた。

基礎練習を終えた久美子は、配布された楽譜に目を通す。『三日月の舞』。この楽譜の特徴は、やはり冒頭のトランペットメロディーと、後半にある低音のメロディーだ。ユーフォニアム、チューバ、コントラバス。普段は裏方に回っていて目立つことのない楽器たちが、このときばかりはスポットを浴びる。全体を通して低音が活躍する場面が多い構成となっているこの曲だが、とくにユーフォの楽譜はすさまじいことになっている。長い休符はなく、冒頭のトランペットのメロディー部分を除いてはほとんど吹きっぱなしだ。課題曲は五曲のなかから一曲を選ぶシステムになっているけれど、この曲はほかの四曲と比べても圧倒的に難易度が高い。しかも長い。だいたいの話、学校と曲のレベルが釣り合っていない。

……これ、本当にできるんだろうか。

思わず久美子は眉間に皺を寄せた。その脳内に、先日の滝の言葉が蘇る。

「今回この課題曲をあえて選んだのは、皆さんにはこの楽曲が難しいと思ったからです。難しいからこそ、真剣に取り組んでくれることを私は期待しています。難易度の低い曲だと、ついついなめてかかってしまいますからね。課題曲と自由曲。この二曲を完璧に吹き切ることができれば、全国も夢ではありません」

全国大会か……。

内心でつぶやきながら、久美子はひっそりとため息をつく。そこから離れた席ではあすかが何食わぬ顔で難解なパートを吹いている。初見のはずなのに、その演奏に淀みはない。おそらくもともとの能力が違うのだ。彼女は楽譜を見てすぐさまその音楽を再現できる。それぐらい、ユーフォのことを知り尽くしているのだ。

簡単そうな場面をひととおり吹いて確認してから、久美子は難関となるだろうメロディー部分の連符を見つめる。最初から指定されたテンポで吹くのは自分には無理だ。久美子はメトロノームを取り出すと、そのテンポをかなり遅いものに設定した。カチ、カチ。ゆっくりと刻まれる拍に耳を澄ませながら、久美子は連符を三倍遅いスピードで演奏する。まずは指の動きと、それから口の動きを理解する。慣れてくると徐々にそのテンポを速めていき、もとのテンポへと近づけていくのだ。繰り返し。繰り返し。ただひたすらに同じフレーズを演奏する。すると、あんなにも難しかった楽譜が次第に指に馴染んでいく。できなかったものができるようになるこの感覚を、久美子は結構気に入っていた。

「アンタ、上手いなあ」

唐突に声をかけられ、久美子は演奏の手を止めた。振り返ると、夏紀がじっとこちらを凝視していた。ストレートに褒められることに、久美子はあまり慣れていない。

「あ、ありがとうございます」

顔に熱が集まってくる。それを隠すように、久美子は軽く頭を下げる。金メッキでコーティングされた楽器の表面に、ゆがんだ夏紀の顔が映り込む。

「ユーフォ始めたん、いつからやって言ってたっけ?」

「小四からです。金管バンドに入れられて」

「じゃあ、今年で七年目か」

そりゃあ差もつくわなあ。そう言って、夏紀は自嘲じみた笑みを浮かべた。差とはなんのことだろう。頭のなかを疑問符でいっぱいにする久美子に、夏紀はケラケラと愉快げに笑った。

「いや、わからんのやったらええよ」

そう言った彼女の言葉の意味を久美子が理解したのは、それからずっとあとになってのことだった。

緑輝は塾。葉月は別の友人と帰るということで、久美子は一人で昇降口へと向かっていた。部活動の終わりを告げるチャイムが鳴ると、学校は一気に慌ただしくなる。マウスピースを洗い、ケースに楽器をしまう。帰宅する生徒たちの波が過ぎると、今度は学校全体がしんと静まり返る。夏が近づき、日が沈むのはずいぶんと遅くなったが、それでも薄暗い校舎を一人歩くというのはあまり気分のいいものではない。

「お、お前もいまから帰るん?」

下駄箱からローファーを取り出していると、背後から声をかけられた。振り返ると、秀一がこちらに手を振っていた。彼もまた帰るところなのだろう。その手にはトロンボーンケースが握られている。

「いや、ちょっと家で練習しようかと思って」

久美子の視線に気づいたのか、彼は照れたように頭をかいた。

「どう? 課題曲のほうは」

「まああかな。ペットのあとに入るところの音程がイマイチ合わんのがいまの課題。ユーフォは?」

「そりゃあもちろん、後半のメロディーのところがヤバイよ」

「あそこすげえもんなあ」

そう笑いながら、彼は乱暴な動きで下駄箱に上履きを突っ込んだ。彼の履く靴は久美子のものよりずっと大きい。当たり前のことが、なぜだか胸に引っかかる。急に息苦しくなって、久美子は思わず目を伏せた。

「オーディション、受かるかな?」

「さあ、どうやろなあ。トロンボーンは人数多いし、俺、B行きかもなあ」

「トロンボーンっていま何人いたっけ」

「七人。初心者が一人いるから、オーディション受けるのは六人かな」

「それはキツイね」

低音はもともと人数が少ないから、全員合格できるだろう。課題曲は低音が要の曲だ。人数を増やすことはあっても、減らすことがあるとは思えない。

正門を抜けると、駅まではなだらかな道が続いている。アスファルトで舗装された道路からは、均等に配置された茶畑が見える。一面に緑が広がる風景は、宇治市民にとってはあまり珍しいものではない。

「俺さ、結構この学校に来てよかったなって思ってんねんな」

「何、いきなり」

「いやさ、なんかパート練習中にふと思ったわけよ」

　彼は笑った。

「最初のころはほんまクソみたいな部活やったけど、最近はみんなちゃんと練習するようになってきたし」

「滝先生効果かな？」

「もちろんそれもあるやろうけど、それだけじゃなくてさ」

　生温《なまぬる》い風が二人のあいだを通り抜ける。彼は少し困ったように笑いながら、右手に提げた楽器ケースへと視線を落とした。

「サンフェスのときに、皆、褒めてくれたやん。北宇治上手くなったねって。それが、なんかうれしかった。ほんまに上手になってるんやって思って」

　はにかんだように、彼が笑みをこぼす。そうだね、と久美子はうなずいた。

「できるようになったって、実感は湧いたよね」

「なんかそれが、すごい楽しくて。やればできるんやなって思ってさ」

　夕陽が落ちる。光の残滓が、名残惜しげに空へと引っかき傷を残す。うっすらとにじんだ赤が藍色の空へと溶けていく。辺りには夜の気配が充満していた。闇を拒むように、街灯の光がパチパチと瞬く。そこからまっすぐに伸びる白い影が、秀一の姿を捉えた。

「全国、行けるかもな」

　彼は言った。その横顔を、久美子はただ眺めていた。視線に気がついたのか、秀一が恥ずかしそうに目を伏せる。

「何？」

「いや……うん、そうだね。全国行きたいね」

「中学の二の舞は嫌やしな」

　ぐっと、秀一は腕を伸ばした。久美子の脳裏に、不意にあの日の光景が蘇る。

　――アタシは悔しい。めっちゃ悔しいねん。

　あのとき、麗奈は泣いていた。久美子は泣かなかった。金賞でいいじゃん、そう本気で思っていたから。でも、麗奈はそうは思っていなかった。あの子は真剣に、全国に行けると思っていた。全国に行きたいと、そう強く願っていた。

「もっと上手くなりたいなあ」

　久美子は言った。小声でつぶやいたつもりだったのに、意外にも声は夜の街に大きく響いた。秀一は一瞬きょとんとした顔をして、それからニッとうれしげに白い歯をのぞかせた。

「今度さ、一緒に練習しようぜ。河川敷かどっかで。それで、二人でAに行こう」

「いや、ユーフォ持って帰るのはさすがにキツイよ」

「お前な、普通こういうときには空気読むだろ」

「だって本当だもん」

そう答えながらも、久美子は彼の背を叩いた。パシンと、乾いた音。

「まあでも、練習ぐらいなら付き合ってあげるよ」

言っていてなぜだか恥ずかしくなって、久美子は逃げるように足を速めた。駅まではもうすぐだ。駆けるように前へと進む久美子のあとを、秀一が慌てて追いかけてきた。


オーディションの日取りが近づくにつれて、部の空気はピリピリし始めた。皆が楽譜とにらみ合い、雑談する声もほとんど聞こえない。職員室に足を踏み入れれば、滝のもとへ質問しに来た部員たちであふれている。今年の吹奏楽部は熱心ですねえ。皮肉交じりの教頭の言葉に、滝は苦笑するだけで何も答えなかった。

合奏をするたびに、楽譜には書き込みが増えていく。鉛筆の跡で余白が圧迫されていくのを眺めながら、久美子は楽器へと向き合う。腕のなかに沈む、メッキが剥がれかけた年季の入ったユーフォニアム。それを床へと立てかけ、久美子はハンカチを持って立ち上がった。

「絶対大丈夫ですよ！」

トイレに足を踏み入れると、聞き覚えのある声が聞こえてきた。トランペットパートの優子と香織が、洗面台で何やら話し込んでいる。久美子を気にする様子はない。

「いやでも、どう考えても麗奈ちゃんのほうが上手やし」

「そんなことないですって、絶対香織先輩のほうが上手です！」

久美子が個室に入っても、二人の会話はよく聞こえた。

「麗奈ちゃんがソロになるんじゃないかな？」

「いやいや、おかしいですよ！　三年生がソロじゃないだなんて」

「そうは言ってもねえ」

「絶対、香織先輩がソロをすべきです！」

ドンと低い衝撃音。優子が地団太を踏んだようだ。

「まあ、自分なりには頑張るけど」

香織の声は明らかに沈んでいた。はい！　応援します！　優子の叫び声が、どんどんと小さくなっていく。久美子が個室の扉を開けると、もうそこに人影はなかった。

部活が終わり、久美子は洗面台でマウスピースを洗っていた。銀色の金属器は、水滴をつけてきらきらと輝いている。そういえば、小学生のころは学校の蛇口をひねったらお茶が出てきた。自分用のコップを持って蛇口から直接お茶を注いでいたのはいい思い出だ。それが宇治市だけの制度と知ったときは驚いたけれど。

「なあ、」

声をかけられ、久美子は振り返る。トロンボーンのパート練習も終わったところだったのか、秀一もまたその手にマウスピースを持っていた。

「洗いに来たの？」

「まあな」

彼はそれだけ言って、口をつぐんでしまった。どうしたんだろう。首をひねった久美子の隣で、彼は大きく息を吸った。

「お前さ、五日空いてる？」

そう尋ねる彼の顔は、いまにも死にそうだった。顔面蒼白《がんめんそうはく》とはこのことか。

「え？　五日って平日でしょ？　普通に部活じゃん」

「そうじゃなくて、部活のあと！」

「部活のあと？」

そこでようやく久美子は、彼の言わんとしていることを理解した。

「あぁ、もしかして、あがた祭り？」

その言葉に、秀一の顔は見る間に赤くなっていった。え、何その反応。感染したかのように、久美子の顔にまで熱が集中する。普段ならなんとも感じないこの距離が、なぜだか今日ばかりは無性に近く感じた。いまにも逃げ出したい欲求をこらえ、久美子は必死に普段どおりを装う。秀一はうつむいたまま、ぼそりと言った。

「……その、一緒に行けへんかなって思って」

「あ、えっと……」

大丈夫だけど。そう答えようとして、しかしそこで楽器室から出てくる葉月の姿が視界に入った。体中の熱が一気に下がる。背中から嫌な汗が噴き出した。

葉月ちゃんってばね、塚本君のことが好きなんやって！

一瞬にして、緑輝の言葉が脳内を駆け巡る。あ、これダメなパターンだ。そう思った瞬間、久美子の身体は勝手に動いていた。目の前を通り過ぎようとしていた生徒の腕をとっさにつかむ。

「ごめん！　私、あがた祭りこの子と行くから」

「……は？」

機嫌の悪そうな声が、目の前から響く。ハッとして顔を上げると、つかんだ腕の先に麗奈の顔があった。大きな瞳がさらに大きく見開かれている。何言っててんだコイツ。そう言わんばかりに、彼女の全身から不機嫌なオーラがあふれ出ている。

「な、なんだ。高坂と行くのか……」

「う、うん」

普段なら絶対にありえない組み合わせだというのに、秀一にいぶかしむ様子はなかった。おそらく緊張しすぎて上手く脳味噌が働いていないのだろう。

「そっか、残念だな」

ははは、と乾いた笑い声が響く。麗奈は不満げな顔で久美子と秀一の顔を交互に見やっていたが、事情を察したのか黙っていた。

「あ、塚本！」

後ろから葉月が駆け寄ってくる。その頬はうっすらと赤く染まっており、それを見た瞬間、久美子の心臓がギシリときしんだ。胸を渦巻く、どろりとした感情。それに堪えるように、麗奈をつかむ手に力がこもる。彼女は一瞬眉間に皺を寄せたが、それでも何も言わなかった。

「加藤？」

秀一が困惑した様子で首を傾げる。空っぽになった手のひらを持て余していたのか、葉月はこちらに来るなり秀一の腕をつかんだ。褐色の手のひらに違和感なく収まる、彼の左腕。

「ちょっと話あんねんけど、こっち来て」

「え、でも、いま久美子と話してんねんけど」

秀一がちらりとこちらを振り返る。久美子は慌てて口元に笑顔を張りつけた。麗奈の腕を、ぎゅっと握り締めながら。

「私は大丈夫だよ？　ほら、行ってきなって」

彼の瞳が大きく揺れたのがわかった。息が詰まる。秀一は一度口を開いたが、そこから漏れるのは空気ばかりだった。言葉にならない感情たちが、彼の大きな手のひらからぼろぼろと滑り落ちていく。それを救い上げる術《すべ》を、久美子は確かに知っていた。だけど、久美子は動かない。動けない。

「行っていいのかよ」

秀一は言った。その声にはどこか、こちらをなじるような響きをはらんでいた。

「いいって言ってるじゃん」

久美子は目を逸らした。窓の隙間から夕焼け色をした空気が忍び込む。どろりと溶け出した夕陽が廊下のなかへと染み出した。赤く染まった空間のなかで、少年は逃げるように顔を背ける。

「……あっそ」

それだけ言って、彼はこちらに背を向けた。話って何？　いや、ちょっとここでは話せへんのやけど。飛び交う二人の声は、段々と小さくなっていく。階段の向こう側で、楽しげな男女の笑い声が反響していた。久美子はただ、そこに立ち尽くす。手のなかのマウスピースは、いつの間に熱が移ったのか、すっかり温かくなっていた。

「……これでよかったん？」

麗奈がボソリとつぶやく。そこではたと我に返り、久美子は彼女から手を離した。

「ごめん、巻き込んじゃって」

「べつに、それはいいけど」

麗奈はいまだ険しい顔をしたままだった。艶のある長い黒髪が彼女の胸元へと流れていく。髪の黒に、リボンの白は埋もれてしまった。その腕のなかで、星色をしたトランペットが無邪気にきらきらと輝いている。

「で？　何時にどこ集合？」

「何が？」

「お祭りの日。ちょうどアタシも暇やったから」

「え、」

本当に行くつもりなの？　久美子の問いに、麗奈はフンと鼻で笑った。

「当たり前やろ。アンタが誘ってきたのに何言うてんの」

「それは、そうだけど」

じゃあ決まりやな！　そう言ってにやりと笑って見せる彼女の表情は、いままで一度だって見たことがないものだった。思わず見惚《みほ》れてしまった久美子に、麗奈はその瞳をわずかに細めた。長い睫毛が上下する。綺麗な子だなあなんて、そんな当たり前のことをいまさらながら考えた。

あがた祭りの当日、この日ばかりは部内の空気も浮ついたものとなった。今日、何時に集合する？　神輿《みこし》見る？　どっかで花火しよっか。流れてくる声はどれもこれも愉快げで、普段の鬱憤を晴らすために必要以上にはしゃいでいるようにも久美子には思えた。

「先輩は誰と行くんです？」

先ほどから熱心に楽譜の表面を指先でなぞっているあすかに、久美子は問いかける。

「香織と行く。今日はデートやから」

彼女はそう楽しげに答えた。その隣で、いいですねえ、と梨子が目を細める。

「梨子先輩は？」

「私？　私は――」

「どうせ後藤やろ？」

途中から割り込んできた夏紀の言葉に、梨子の顔が真っ赤になった。

「ちょっと、なんでそんなこと言うん」

「だって事実やん。アンタら去年も二人で行ってたし」

思わず久美子は卓也のほうを見る。卓也はいつものように課題曲を練習していたが、先ほどからミスを連発している。どうやら動揺しているらしい。

「うわー、もしかして梨子先輩と後藤先輩って、ラブラブなんですかー？」

緑輝が瞳を爛々と輝かせる。ラブラブって、と赤面する梨子を放置し、なぜか夏紀が大きく首を縦に振った。

「そうやで。こいつら付き合ってるからな」

「えええええ！」

あっさりと告げられた真実に、緑輝が絶叫した。

「梨子先輩！　なんでそんな大事なこと言ってくれへんのですか！」

詰め寄る緑輝に、久美子も心のなかだけで同意する。てっきり卓也はあすかのことが好きなのだと思っていたが。

「え、だって、わざわざ言うことやないし……」

「後藤先輩も教えてくださいよ！」

いまにも飛びかからんとする後輩を、あすかが苦笑しながらなだめる。

「まあまあ緑ちゃん、この二人はシャイやから仕方ないって。そんな怒らんといてあげて」

「先輩が言うなら……」

緑輝は不満げな顔をしながらも、しぶしぶとうなずいた。

「夏紀は誰と行くん？」

あすかの問いに、彼女はわざとらしく肩をすくめた。

「そりゃあ今日も予備校ですよ」

「三年のうちが遊びに行くのに、なんで二年のアンタが勉強すんの」

「親がうるさいんで、仕方ないんですよ」

夏紀は困ったようにそう言って、それから久美子のほうを見やった。

「で、アンタは？」

「あ、麗奈と行きます。トランペットの」

「え、久美子ちゃんって、お祭り行かへんって言ってなかった？」

緑輝が首を傾げる。その後ろであすかが考え込むように自身の顎をさすった。

「麗奈って、もしかして例の高坂さん？」

「例のかはわかりませんが、苗字は高坂です」

「久美子ちゃん、高坂さんと仲良かってんなあ」

梨子がしみじみとつぶやく。その声からはなぜか、こちらを憐《あわ》れんでいるような印象を受けた。

「……で？　さっきから呆けてるコイツは？」

夏紀が顔をゆがめて葉月のほうを指差す。チューバを抱えた彼女は、心ここにあらずといった様子で外ばかりを見ている。まるで抜け殻みたいだ。

「葉月ちゃん、ずっとああなんです」

緑輝が声を潜めて告げる。

「今日、好きな人とお祭りに行くみたいで。そこで告白するらしいですよ」

「うわあ、青春やなあ！　聞いてるだけで胸焼けするわ」

夏紀があからさまに顔をしかめる。かなりの大声だったが、葉月にはなんの反応もない。どうやら聞こえていないようだ。

好きな人というのはやはり、秀一のことだろうか。会話から意識を逸らし、久美子はそっと息を吐く。なんだか気持ち悪い。腹の辺りでふつふつと、濁った感情が沸騰している。それは身体中を走る管を伝って、久美子の身体を駆け巡る。指先に集まる熱を冷ますように、久美子はユーフォを強く握った。嫌だな。嫌だ。明確な理由はない。ただ、漠然とそう思った。

「まあ、部活に支障ないなら、恋だの愛だの好きにしてくれて構わんけど」

あすかはそう言って笑みを深めた。緑輝が興味津々といった様子で彼女に尋ねる。

「先輩は、彼氏とかいないんですか？」

その問いに、彼女は明快な答えを紡ぐ。

「何言ってんの。うちの恋人はユーフォだけやで」

適当なこと言わないでくださいよ！　緑輝が頬を膨らませながら反論する。言い寄る後輩に、あすかは楽しげに喉を鳴らした。それを眺めながら、久美子は思う。あながち冗談でもなさそうだ、と。

麗奈とは十九時に宇治神社前で待ち合わせていた。あがた祭りは祇園祭《ぎおんまつり》などに比べると規模は小さいが、通りには六百軒を超える露店が連なり、十二万人を超える人間が訪れるそこそこ大規模な祭りだ。

よくよく考えてみると、麗奈と二人で遊びに行くのはこれが初めてだった。中学時代、彼女とは同じ部活だったのでもちろん面識はあったけれど、そこまで親しいわけでもなかった。学校で会えば少ししゃべる、そんなレベル。いま思うと、麗奈はいつだって他人と距離を取っていた。孤立しているわけではない。ただ、彼女は特定の誰かと一緒にいることを嫌っている節があった。それは高校に入ってからも同じで、麗奈が特別な友人を連れているところを久美子は見たことがない。

「ごめん、待たせて」

声をかけられ、久美子は振り返る。ワンピース姿の麗奈が、こちらにひらひらと手を振っていた。女の子らしい、白いワンピース。自分が男だったら彼女に着てほしい洋服ナンバーワンだ。

「い、いや、待ってないけど」

そう答えながら、久美子は思わず目を伏せる。こんな美少女の隣に並ぶのは、なんだか気後れしてしまう。もっとまともな恰好《かっこう》をしてくればよかった。Tシャツに短パンという簡素な自分の装いを見下ろしながら、久美子は思わずため息をついた。

「ちょっと、来て早々、ため息？」

麗奈が眉間に皺を寄せる。彼女には不機嫌な顔がよく似合った。

「そんなに塚本のことが気になるん？」

「い、いやべつに、秀一とはそういうんじゃないから」

「そういうのじゃない、ねえ」

麗奈が意味ありげな視線を送ってくる。久美子は慌てて話題を変えた。

「早く行こうよ。何か食べたいもんある？」

「いや、屋台に行くつもりはないで。アタシ、人混み嫌いやし」

「へ？」

「山登ろうよ！　大吉山《だいきちやま》！」

麗奈はそう言って神社の上のほうを指差す。この子はいきなり何を言い出すんだろうか。ぽかんと口を開けている久美子の手を引き、麗奈が階段を駆け上がる。ほっそりとした白い指が、灯籠の灯りに照らされる。薄桃色の爪は、几帳面に切りそろえられていた。

「な、なんでわざわざ祭りの日にそんなことするの？」

「ん？　なんとなく、楽しそうやから」

麗奈はくすりと笑みをこぼした。宇治神社を通り抜けると、宇治上神社まで石畳で舗装された道が続く。宇治上神社は一九九四年に平等院とともに世界文化遺産に登録された。しかし、平等院に比べると訪れる人はかなり少ない。本殿のなかの三つのお社《やしろ》は現存する最古の神社建築であり、かなり貴重なものらしい。けばけばしい現代の建築デザインに目が慣れた久美子からすると、少し地味すぎるようにも思える。

「アタシさ、この神社が好きやねん」

門の隙間をのぞき込みながら、麗奈は言った。

「宇治神社のほうがよくない？」

建物も大きいし。そう続けた久美子に、麗奈が呆れたように息を吐く。

「久美子にはわからんかなあ、この渋さが」

「し、渋さ……」

「大人の魅力ってやつ」

「宇治上神社は大人なの？」

「わかるやろ？　なんかこう、漂ってるやんか」

「はあ……」

　そう言われてみると、なんだか魅力的に思えるような気がしないわけでもない。静寂が潜む境内に、久美子は視線を走らせてみる。橋の向こう側では祭りに向かう人であふれ返っているというのに、この場所はひどく静かだ。ここにいるのは、麗奈と久美子だけ。むせ返るような、濃い沈黙。じわりじわりと意識を食《は》む、理由のない焦燥感。自分はここでいったい何をしているのだろう。みんなは祭りに行っているのに。

　ぼんやりと立ち尽くす久美子の手をつかみ、麗奈は颯爽と足を進める。普段は伸ばしっぱなしの黒髪を、彼女はひとつに結っていた。髪を束ねる、水色のシュシュ。

「明るいの、好きやないねん」

　前を向いたまま、麗奈は言った。

「明るいのって？」

「祭りとか、なんかごちゃごちゃまぶしいやん。ああいうの、苦手やねんか」

「そうなの？」

「うん。うっとうしいから嫌い」

　道を進めば進むほど、暗闇が近づいてくる。街灯は少なくなり、視界は薄暗い。大吉山には灯りがないのだ。顔をしかめた久美子をよそに、麗奈は鞄からケータイを取り出した。

す。

彼女はそう言って、スマートフォンを懐中電灯代わりにする。ケータイから放たれる真っ白な道しるべ。アプリ入れといてん。そう笑う麗奈に、久美子も曖昧に笑い返す。

地元の人は大吉山と呼んでいるが、この山の正式名称は仏徳山《ぶっとくさん》といい、標高は一三一メートルある。総角《あげまき》の古跡付近にある登り口から展望台までの登山道は、道幅もあって段差の少ない自然歩道で、美しい風景を楽しめることから人気の山道となっている。朝に歩くと、犬と共に散歩をしている人々とよくすれ違う。保育園に通っていたころは、久美子もよく遠足でこの山に足を運んでいた。

「麗奈は、よくこういうことするの？」

歩きながら、久美子は尋ねる。意味がわからなかったようで、麗奈が、こういうのって？　と首を傾げる。

「だから、いきなり山に登ったりとか」

「アタシをなんやと思ってんの。するわけないやろ」

「だ、だよねえ」

サンダルが足に食い込む。ゆるやかな山道が続く大吉山だが、さすがにヒールつきのサンダルで歩くのはキツイものがある。

「暗いと思って」

「でもさ、たまにこういうあほなことしたくなるねん」

麗奈はそう言って、照れたように頭をかいた。秘密がばれてしまった子供みたいな表情で。

「制服着て、学校行って、部活行って。それで家帰って勉強して……なんかさ、たまにそういうのを全部捨てたくなんの。青春18きっぷ買って、理由もなく旅立ちたくなるわけ」

「それは……ちょっとわかる気がする」

自分探しの旅に憧れた。テレビ越しに見るバックパッカーに、自分を重ねてみることもあった。自分のことを誰も知らない世界に飛び込んでみたいような、そんな気分になる日もあった。それらはすべて空想で、結局実行には移されないのだけれど。

「ま、これは旅代わりみたいなもんってこと」

「ずいぶんスケールが小さくなっちゃったねえ」

「それはしゃあないやん、明日学校やねんもん」

当たり前のことを当たり前みたいな顔をして言う麗奈が可笑《おか》しくて、久美子はふふっと笑みをこぼした。麗奈はこちらを一瞥し、それからふと視線を逸らした。

「本当はさ、前から思っててん」

「何を？」

「久美子と遊んでみたいなあって」

「そうなの？」

「そうなの」

彼女は前を見ている。普段は髪に隠れて見えない耳が、今日は剥《む》き出しになっている。うっすらと色づいた薄い皮膚。かじったら柔らかいだろうなあなんて、馬鹿なことを考える。

「久美子ってさ、結構性格悪いやん？」

「えっ」

ショックだった。久美子ちゃんはいい子だね。関わったことのある人たちは、皆、久美子のことをそう評価した。優しいね。優しいね。幼少期から刷り込まれてきた言葉に、自分を近づけようと思ったのはいつからだったろうか。自分は優しい。その理想を追いかけ始めたのは。

黙り込んだ久美子に、麗奈はうっとりと微笑みかける。

「そのいい子ちゃんの皮、ぺりぺりってめくりたいなあと思って」

「…………もしかして、私いま悪口言われてる？」

「悪口ちゃうって。そういうとこが好きって言ってるの。愛の告白やん」

「絶対違うでしょ」

「わかんないかなあ？　アタシの愛が」

「さっぱりわかんない」

　わかったのは、久美子をいじめているときの麗奈の顔が、たいそう楽しそうだということだけだ。学校で会う麗奈と、いま自分の目の前にいる麗奈。ふたつは同じものだというのに、なんだか全然違って見える。

「久美子はさあ、覚えてないやろなあ」

「何が」

　足を動かしながら、二人の会話は進む。

「中学のさ、最後のコンクールのときにしゃべったやん」

「あぁ、覚えてるよ。麗奈が泣いてたやつでしょ？」

「なんで他人が泣いてたことなんて覚えてんの。あーあ、ほんま性格悪い」

「いやいやいや、それぐらい普通でしょ」

　慌てた久美子に、冗談やって、と麗奈は笑った。

「アタシが悔しい悔しいって言ってたら、アンタ近づいてきてさ、『本気で全国行けると思ってたの？』って聞いたやん」

「え、そんなこと言ったっけ？」

「言ったよ。それでアタシは思ったね。コイツ性格わるっ！　て」

「い、いや、それは多分……純粋に気になったから聞いただけだと思うよ。他意はなかったって」

必死で否定する久美子に、麗奈はその口元を綻ばせる。

「そんなことはわかってるよ。だからアタシは久美子のことが気になったの。無意識でこんなこと言えるなんて、よっぽどやなあと思って」

「よっぽどって？」

「よっぽど性格ねじ曲がってるなって」

「いやいや、それ絶対悪口だよね？」

「ちゃうってさっきから言ってるやん。そういうところが好きやって言ってんの」

「嘘だあ」

「ホントホント」

麗奈は楽しげな笑い声を上げる。そろそろ展望台が見えてくるころだ。与えられた道を、二人はなんの疑いもなく進む。ふと視線を落とすと、麗奈のサンダルにも土がこびりついていた。彼女の白い肌に刻まれた、ストラップが食い込んだ痕。

「足、痛くない？」

「痛いよ」

真顔で麗奈が答える。

「でも、痛いの嫌いじゃないし」

「うわ、なんかその言い方エロいね」

「……あほちゃう？」

軽くあしらわれ、久美子は唇をとがらせる。グダグダと会話を繰り返していると、やっとのことで展望台にたどり着いた。大吉山の展望台は、中腹にある休憩所として設置されており、宇治の街並みを一望することができる。

「……綺麗やなあ」

手すりを握り締めながら、麗奈がつぶやく。

闇色のペンキを塗りたくったような世界に、人工的な星屑《ほしくず》がやたらめったら振りかけられている。家の光。マンションの光。街灯の光。車の光。この街には光があふれ返っていて、上から見ると地図みたいに世界が浮き上がって見える。あそこは平等院で、向こうは宇治川。慣れ親しんだ場所を目で追いながら、久美子はふと息を吐き出す。

「これが見たかったの？」

久美子の問いに、麗奈は小さく首を振る。

「見たいって言うと、ちょっと違うな」

「どういうこと？」

首を傾げた久美子を、麗奈がからかうように笑う。唇の隙間から、苺《いちご》みたいな色をした赤い舌がチロリとのぞく。

「他人と違うことがしたかってん」

視線を落とすと、祭り帰りの人たちの姿が見える。群れになって、同じ方向を向いている。たいして美味《おい》しくもない林檎《りんご》飴《あめ》をかじりながら、彼らは満足げに駅へと歩いていく。その少し外れたところでは、他人との差異を見せつけるために他人と同じように金髪にした中学生たちが、大きな声で馬鹿騒ぎしていた。……嘘。本当はそんなもの、こんな場所からじゃ見えやしない。高い場所からではバラバラの個人は闇のなかに溶けてしまって、無感情に突っ立っている灯りの姿しか見つけられない。

「祭りの日に山に登るようなあほなこと、ほかのやつはしいひんやろ？」

麗奈は言った。そうだね、と久美子は静かにうなずいた。

「久美子なら、わかってくれると思って」

「何を？」

「こういう、意味不明な気持ち」

彼女が目を伏せる。わかるよ、と久美子は答えた。いまごろ、あの光の洪水のなかに秀一と葉月は埋もれているのだろう。気味の悪い柄をした蝶《ちょう》が、目の前をひらひらと飛んでいく。小さいころは蝶ぐらい平気で手づかみにしていた。それに嫌悪感を抱くようになったのは、いったいいつからだったのか。それをぐしゃりと潰してしまいたい衝動を抑え、久美子は微笑む。

「わかるよ、麗奈の気持ち」

麗奈の手が伸びる。白い指が、久美子の頬を滑っていく。

「アタシはさ、特別になりたい」

「特別？」

「そう。他人から称賛されたい。ほかのやつらと同じって、思われたくない」

少女の指が力なく落ちる。白いワンピースが、風に乗ってはためいた。

「だから、アタシはトランペットをやってる」

「トランペットを吹いてたら、特別になれるの？」

「なれる」

麗奈は即答した。

「だからアタシは、吹奏楽をやってんねん。特別でありたいから」

どうして吹奏楽を続けているか。その答えを、久美子はいまだ持っていない。麗奈はフッと息を漏らすと、それからベンチへと腰かけた。長い脚を組み、自身の手のひらを膝の上で重ねる。久美子は手すりから手を離すと、ゆっくりとその隣へと腰かけた。ぷんと、甘い匂いがした。

「久美子はさ、なんで吹部に入ったん？」

「なんでだったかな」

昔の記憶はあやふやで、鮮やかな思い出ほどつかんだ途端に崩れてしまう。初めて楽器を持った日。初めてユーフォを知った日。いったいどうして自分は、金管バンドに入ったのだろう。

「確か……お姉ちゃんが、」

「お姉ちゃん？　久美子、お姉ちゃんいんの？」

「うん、全然似てないけど」

久美子の姉は金管バンドに入っていた。ピカピカの衣装を着て、トロンボーンを吹いていた。……そうだ。だから久美子は、トロンボーンに憧れていた。姉の吹いている、立派な楽器。伸び縮みする、カッコいい楽器。あれを吹いてみたいと思って、金管バンドに入ったのだ。姉みたいになりたくて。結局、割り振られた楽器はユーフォニアムだったけれど。

「お姉ちゃんに憧れて、それで吹部に入ったんだよね」

「へえ？　お姉ちゃんはいまも吹部やってんの？」

「いや、小六のときに辞めたよ。私立の中学に行くとか言って、塾で忙しくなったから」

それから姉は部活に入らなかった。中学も、高校も。家と塾と学校と。同じ場所をぐるぐると、ただ行き来するだけだった。

「受験か、」

麗奈は嫌そうな顔をする。

「私らも他人事じゃないね」

「そうやな」

彼女はそう言って、そのままふっつりと黙り込んだ。何か考えることがあるのだろう。久美子もまた口を閉じる。しんとした静寂が、鼓膜の裏側を泳いでいる。足元に広がる人工の星空。それを眺め、久美子はそっと目を閉じた。麗奈といると、なんだか楽だ。沈黙が苦ではないと思うのは、初めてかもしれない。華奢な身体にもたれかかりながら、久美子は脚を伸ばす。腕と腕が絡まり、皮膚と皮膚が重なり合う。うっすらと汗ばむ彼女の肌は、ひんやりとして心地よかった。

スケジュール帳に印を入れる。赤印は着々と増えていき、オーディションの日取りはどんどんと近づいてきていた。電車の最後尾の車両に乗り込み、久美子は端の席へと腰かける。鞄から取り出した音楽プレイヤーには、自由曲と課題曲が入っていた。鞄の上に乗せた指が、カタカタと勝手に動く。ピストンの動きが身体に染みついているのだ。ふと顔を上げると、少し離れた位置に秀一が立っているのが見えた。彼もまた音楽プレイヤーをつけている。ふとその顔が持ち上がり、一瞬だけ瞳がこちらに向けられる。視線が交わり、しかし彼はすぐさま逃げるように顔を伏せる。あの日から、ずっとこうだった。

秀一は、久美子を避けている。

「どうしたんあの子」

パート練習中。放心状態の葉月を指差し、夏紀がうっとうしそうに尋ねた。葉月は頬杖をついたまま、窓の外を凝視している。ときおり漏らす盛大なため息が先輩の癇《かん》に障ったのか、夏紀は顔をしかめて久美子の隣の席へと腰かけた。自由曲の楽譜をいったん閉じ、久美子は夏紀のほうに顔を向ける。

「アンタ知ってる?」

「いや、私も知らないです。緑輝なら知ってると思いますけど……」

久美子の言葉に、夏紀が緑輝のほうを見やる。彼女は懸命に楽譜をにらみつけていたが、こちらの視線に気がつくと、弦バスを置いてパタパタと駆け寄ってきた。

「先輩、どうしたんですか?」

緑輝が首を傾げる。

「いやさ、あの子どうしたん？　この前のあがた祭りの日からずっとああやけど」

夏紀の問いに、緑輝があからさまに肩を落とす。その落ち込みように、思わず久美子と夏紀は顔を見合わせた。緑輝は言いづらそうにもじもじと身じろぎしていたが、やがて意を決したように顔を上げた。

「なんか……振られちゃったみたいなんです」

あちゃー、と夏紀が天を仰ぐ。その隣で久美子はそっと息を吐き出した。震えていた指先に、急に力の感覚が戻ってくる。なんだ、振られたのか。そう考えた途端、久美子のなかに葉月への同情心がむくむくと芽生えてきた。かわいそうに。そう脳内でつぶやく自分の声は、ぞっとするほど明るかった。

「この時期にこじれるとか最悪やな。演奏に支障が出るやん」

「緑も慰めようと思ったんですけど、全然ダメだったんです」

緑輝がしょんぼりとうなだれる。そこに、チューバを抱えた梨子と卓也が入ってきた。

「あれ、皆で集まってどうしたん？」

「……練習、しないの？」

自然に寄り添う二人に、夏紀の眉間皺がさらに深くなる。

「恋愛っつーもんは、どうしてこう、くっついてもくっつかなくてもウザいんかなあ」

「ダメですよ先輩、ひがんだら。緑、後藤先輩と梨子先輩はお似合いだと思います！」

緑輝が頬を赤らめる。純粋さを煮詰めたような緑輝の瞳に、梨子が照れたように頭をかいた。

「あ、ありがとう」

「結婚式には絶対招待してくださいね！」

緑輝の暴走に、卓也が顔を真っ赤にした。梨子は苦笑しながらいつもの席に着く。卓也は少し離れた机に腰かけると、課題曲の楽譜を広げた。

「いやあ！　どうしたどうした、みんなで集まって！　はよ練習しいな」

三年生のミーティングを終えたあすかが、騒々しく教室に入ってくる。トレードマークの赤縁メガネを最近新調したらしい彼女は、機嫌よさげに教室を見渡し、それから葉月に視線を止めた。どうした？　そうパートリーダーが呼びかけるが、それでも葉月は窓の外を見たままだ。

「あの子が思い悩んでるみたいなんで、どうしたもんかなって話してたんですよ」

夏紀が呆れたように告げる。どうやら親身になって思い悩んでいるのは緑輝だけらしい。

「葉月ちゃん、ずっと悩んでるみたいなんです！　緑、すっごい心配で。あすか先輩、どうにかしてあげられませんか？」

その言葉に、あすかがカラリと晴れがましい笑顔を浮かべる。

「うーん、正直どうでもいい！」

「正直すぎますよ」

久美子は反射的に突っ込んでしまった。あすかはむむっと腕を組むと、一瞬だけ眉根を寄せた。

「そんなこと言われてもなー、葉月ちゃんが吹こうが吹くまいがうちにはどうでもいいからなー。さっさと立ち直れよとしか言えんわ」

「そんな冷たいこと言わないでくださいよ！　同じ低音パートじゃないですか」

緑輝の言葉に、あすかは乾いた笑いをこぼす。

「だってあの子B確定やろ？　うちが助けるメリットないやん」

その声があまりに冷めていたものだから、久美子はごくりと唾を呑んだ。緑輝が驚いたように目を見開いている。夏紀が険しい表情で、無言のまま自身の頭を押さえた。

「メリットって……」

「だってそう思わん？　コンクールに支障をきたすとかやったらうちも協力するかもしれんけど、なんで私情で練習を放棄してる子を助けなあかんの」

「でも――」

さらに言い募ろうとした緑輝の口元を、夏紀が強引にふさぐ。

「そうですよね！　個人の問題は個人で解決しとけって言っておきます！」

必死に張りつけた愛想笑いは、夏紀にはあまり似合っていなかった。緑輝がもぐもぐと何やらうめいている。

「わかってるならいいねん。三人とも、オーディションはもうすぐやねんから、あほなことばっかりしてんと練習しいや」

「はい！」

じゃ、うちは楽器取ってくるから。あすかはそう言って、普段どおり楽器室に自分の楽器を取りに行った。教室からパートリーダーの姿が消えたのを確認し、夏紀が安堵の息を漏らす。口元をふさがれて苦しいのか、その横で緑輝が何やら暴れている。

「はー、ビビった」

「先輩、緑が窒息しそうですよ」

久美子の言葉に、ハッと夏紀は思い出したようだった。慌てて緑輝の口から手のひらを離す。解放された緑輝は苦しげに呼吸を繰り返していたが、やがて元気よく立ち上がり、夏紀のほうをにらんだ。

「いきなり何するんですか！」

「だって、あすか先輩がめちゃくちゃ苛ついてんのに全然気づいてないんやもん」

「先輩、怒ってたんですか？」

久美子が問う。怒ってたというか、と夏紀は少し困ったように視線を梨子のほうに向けたが、彼女は練習に夢中で聞こえていないふりをしていた。

「あすか先輩は、練習時間を減らされんのがいちばん嫌やからな。あんまり手間取らせたらあかんよ」

「でも、先輩ったらひどくないですか？　なんか冷たかったし」

「あの人は初めからああいう人やで」

夏紀が自嘲じみた笑みを浮かべる。梨子と卓也が、ハッとしたように夏紀を見る。教室に走る、ぴりりとした緊張感。舌に残るざらついた感情は、多分不快感だ。

夏紀は言う。

「あすか先輩は、特別やから」

静まり返った教室に、その声はやけに響いた。


閑散とした駅では、同じ北宇治の制服を着た生徒たちが退屈そうに電車を待っていた。単語帳をぱらぱらとめくりながら、久美子はベンチに腰かける。衣替えの季節となり、制服は半袖へと変化した。袖からのぞく二の腕をつまみ、久美子は思わずため息をつく。なんだか最近太った気がする。

「……久美子、」

不意に声をかけられ、久美子はハッと顔を上げた。冴えない顔をした葉月が、目の前に立っている。肩にかかるスクールバッグをぎゅっと握り締め、葉月は言った。

「一緒に帰っていい？」

「あ、うん。もちろん」

そう、彼女はそう言って、久美子の隣の席へと腰かける。久美子は意味もなく単語帳のページをめくる。アポロジャイズ。謝る。フォース。強いる。羅列された英単語は視界を上滑りするだけで、さっぱり頭に入ってこない。

「うちさあ、告白してん」

葉月は言った。久美子は紙から視線を外し、彼女のほうを見る。がたんがたん。待っていたはずの電車が、ホームに滑り込んでくる。なのに、葉月は動かない。だから久美子も、動かない。ホームに響くお決まりのアナウンス。扉は閉まり、電車は再び発車する。二人だけを置き去りにして。

「うん、知ってるよ」

久美子の言葉に、葉月は目を伏せる。そう。彼女はそれだけ言って、口端をわずかにゆがめた。

「塚本、ほかに好きな人がいるらしい」

「……そうなんだ」

答えるべき言葉がわからず、久美子は眉間に皺を寄せる。こういうとき、なんて言っていいのかわからない。そんな久美子の反応に、葉月はそっとうつむく。

「ごめんな」

「何が」

「気、遣ってくれたのに」

あのとき、と葉月が言葉を漏らす。言わなくてもわかってるよ。そう思うけれど、久美子は何も言わない。単語帳がパラパラとめくれる。ページの端が折れ曲がっているのは、そこがテスト範囲だからだ。アポロジャイズ。アポロジャイズ。どうしてもこの単語だけが覚えられなくて、ページの端にはぐるぐると印がつけられている。

「べつに、謝るようなことじゃないでしょ」

「でも、久美子も塚本のこと好きなんやろ？」

「…………は？」

葉月の言葉に、久美子はぱっかりと口を開けた。何を言っているんだ、この子は。目を見開いたまま凍りついている久美子のことなど葉月はまったく気にしていないようで、罪を吐き出すようにとつとつと語り続けている。

「うすうす気づいててんか。でも、先にこっちが言ったら引いてくれるかなって思って。ほら、久美子って気弱いからさ、そこにつけ込んでしもうた。ごめんなほんま。……うちって最悪の女やんな」

自嘲じみた表情で言葉を紡ぐ友人を、久美子は慌てて制止する。

「え、いや、ちょっと待って？　え、私が秀一を好きなのは確定事項なの？」

「ちゃうの？」

きょとんとした顔で、葉月が首を傾げる。

「だって、うちが塚本連れていったとき、なんか久美子嫌そうな顔してたやん」

「いや、べつに秀一は好きとかそういう感じじゃないというか……親友？　みたいな？　友達取られちゃって寂しい感じというか……ね？」

「ははーん、なるほど」

「わかってくれた？」

「わかったわかった。久美子はアレやねんな、無自覚なんや」

「なんでそうなんの」

思わず肩を落とした久美子に、葉月が愉快そうな笑い声を上げた。ここ数日ふさぎ込んでいた彼女が見せる、久しぶりの笑顔だった。

「しゃあないな、この葉月様が協力したろう」

「え、何を協力するの？　嫌な予感しかしないんだけど」

「本当はわかってるくせに」

「いや、さっぱりわからないよ」

久美子の言葉に、葉月が立ち上がる。電車のアナウンス。駅のホームに、再び電車がやってくる。鞄を手に取り、彼女は笑う。呆れたように。寂しそうに。

「もう、久美子ったら鈍いんやから」

扉が開く。単語帳を鞄にしまい込み、久美子も慌てて立ち上がる。葉月は久美子の腕をつかむと、えいと車内に引っ張り込んだ。その手はとても温かくて、それでいて少し乾いていた。


部活の疲労が残っていたのか、久美子は帰宅するとそのまま自室のベッドへと倒れ込んだ。

「ちょっと久美子、お弁当箱は出しときなさい」

母親の声がキッチンから聞こえてきたが、それに応える余裕はなかった。寝そべったまま手だけを動かし、なんとかパソコンの電源を入れる。

パソコンのなかには、滝から配布された楽曲の音源が入っていた。顔だけを上げ、なんとか三角ボタンをクリックすれば、スピーカーから課題曲が流れ始める。オーデイションはもうすぐだった。

　滝が来てから、吹奏楽部は変わった。以前の部を知っている教師たちは、皆、口をそろえてそう言った。滝のやり方に最初は不満を言っていた部員も多かったが、次第にそれも収まっていった。理由は簡単だ。上手くなったと実感したから。バラバラだった演奏が徐々にまとまり、ひとつの音楽を作り上げていく。自己満足の演奏だって確かに楽しいけれど、努力を重ねて極限まで削り込んだ音楽は、楽しいという感情ではくくり切れない、何か特別な感慨を部員たちの胸に抱かせた。合奏は楽しくて、だけどそれ以上に恐ろしい。細い細い道を踏み外さないように、必死に神経を研ぎ澄ませている。そんな感じ。

　指揮者の仕事は、ただ本番で棒を振るだけではない。むしろそれはその役割のほんの一部に過ぎない。彼らが指揮棒を振るのは、演奏者に音の入るきっかけと終わるタイミングの指示を行うためだ。そして全体の音のバランスを聞き、曲をまとめ上げる指導をする。

　本番以外の場で、彼らはその曲の持つ構成や作曲家の意図を把握し、表現や曲の流れを奏者に伝える。この指揮者の指示により、演奏のスタイルや曲のイメージが大きく変わる。そのため、指示の違いがそのまま指揮者の個性となり、楽団の評価へとつながっていく。指揮者というのは、聴衆が感じている以上に重要な役割を果たしているのである。

十年前、北宇治高校がまだ強豪校だった時代、きっとその指導者は優秀な人間だったのだろう。彼がこの学校を去り、そして北宇治の吹奏楽部はどんどんと弱体化していった。顧問が一人変わるだけで、子供たちはその波に翻弄されてしまう。いくら高い志を抱いていても、指導者が優れていなければコンクールには勝ち残れない。

千五百以上ある高校のなかで、全国大会に残れるのはたった三十校足らず。京都府代表として関西大会に進めるのは、三十六校のうち三校だけ。私立や公立が入り乱れ、決して平等とは言えない練習環境のなか、それぞれが尽力して演奏する。北宇治高校が全国大会に進むのは、夢のまた夢だ。

それでも、と久美子は思う。それでも、滝は本気で全国に行こうと考えている。練習の厳しさも、合奏の緊張感も、すべてはこの北宇治を全国大会に連れていくためだ。だったら頑張るしかないじゃないか。

「……上手くなりたいなあ」

久美子のつぶやきに、答える者はいなかった。


オーディションは二日間に分けて行われた。一日目は金管、二日目は木管とパーカッションだった。音楽室に一人ずつ呼ばれ、パーテーションで区切られた個室で演奏した。音楽室の前にはいくらかの席が用意されており、オーディションを受ける者はそこで待機する。教室は完全な防音対策がなされているわけではないから、待っているあいだにほかの人の演奏が聞こえてくる。あすかの温かなユーフォニアムの音色を聞いているだけで、久美子はなんだか無性にドキドキしてきた。顔を青くした久美子の肩を叩き、夏紀が立ち上がる。

「じゃ、行ってくるな」

彼女はそう言って、音楽室へ消えていった。久美子は自身のユーフォニアムを抱き締めながら、ただただ楽譜を凝視する。合奏で注意されたところ。滝に指摘された場所。何度も見返しているうちに、クリアファイルの端の部分がどんどんとすり切れていく。大丈夫だ。きっとできるはず。楽器に息を吹き込みながら、久美子はじっと自分の順番を待つ。

「久美子の番やで」

演奏を終え、音楽室から出てきた夏紀が久美子へと声をかけた。はいと返事しようと思ったのに、緊張しているせいか上手く声が出なかった。無言でうなずく久美子に、夏紀が苦笑する。

「そんな緊張せんでも大丈夫、アンタやったら」

先輩の言葉に背中を押され、久美子はおそるおそる音楽室へと足を踏み入れた。

「どうぞ、かけてください」

　パーテーション越しに滝の声が聞こえる。顔を見せないのは、部員を緊張させないための配慮だろうか。顔が見えない分、余計にドキドキする気もするが。真ん中にポツンと置かれた席。その前に置いてある楽譜台にファイルをセットしながら、久美子はふうと息を吐き出した。指先が震える。

「学年と名前と担当の楽器を」

「あ、一年、黄前久美子です。低音パート、ユーフォ担当です」

「そうか」

　この素っ気ない声は副顧問の美知恵だ。顧問と副顧問、二人がかりでテストするのか。ますます速くなっていく鼓動を抑え込むように、久美子は息を呑み込む。強張った指先をほぐすように軽く動かした。

「チューニングは大丈夫ですか？」

「は、はい。やってきました」

「そうですか。……黄前さんは、経験者なんですよね？　何年くらいユーフォニアムを演奏しているんですか？」

「えっと、小四からなんで、今年で七年目です」

「七年？　それはなかなかすごいですねえ」

滝が感心したようになる。あぁ、しまった。ハードルを上げてしまった。ぐるぐると脳味噌を回るネガティブな思考を追い払うように、久美子は頭をぶんぶんと横に振る。木製の椅子は座るとひやりとした。汗をかいているせいか、太ももがその表面に張りつく。

「では最初に、課題曲から吹いてもらいましょうか」

「は、はい」

「ユーフォニアムといえばやっぱりここですよね、四十一小節目からの裏メロ。バリサクと同じ動きをしているところです」

久美子は慌てて楽譜を視線で追う。何度も練習してきた、あの場所だ。

「メトロノームを鳴らしますので、私が止めるまで吹いてください。好きなタイミングで始めていいですよ」

「わ、わかりました」

カチ、カチ、カチ。繰り返されるリズムに耳を澄ませながら、久美子は息を吸い込んだ。肺を膨らませ、マウスピースへと鋭い息を吹き込む。指が動く。低音から高音への移り変わり。練習中、何度も引っかかった連符部分。楽譜は用意していたけれど、それを見ている暇はなかった。高揚感で脳味噌がひりつく。息は震え、心臓は破裂しそうなほどバクバクと忙《せわ》しなく動いている。頭には何も浮かばず、ただ演奏だけが意識を飛び越えて進んでいく。ミスしたらどうしよう。怖くて仕方ないのに、それを楽しいと思っている自分がいる。足元から上ってくる熱が、胸のあたりの器官をぎゅっと締め上げる。

「はい、そこまで」

滝がそう言うまで、久美子は必死で演奏し続けた。ユーフォからピタリと音がやむ。パーテーションの向こう側では、何やらカリカリと紙に書きつけている音がした。いまこの瞬間、久美子の演奏が審議されているのだろう。耳の奥ではまだ、じんじんと先ほどの演奏の余韻が残っていた。

「わかりました、もういいですよ。次はチューバの人たちを呼んできてください」

「あ、はい」

立ち上がると、なんだか頭がくらくらした。緊張が抜けないのか、指はいまだ震えている。楽譜を抱え込み、久美子は逃げるように音楽室をあとにした。

「痛っ」

楽器がガシャンと騒々しい音を立てて、机へとぶつかった。久美子は慌ててユーフォを見る。幸いなことに、いまの衝撃で目立つ傷はできていなかった。オーディションが終わったばかりだから、気が抜けてしまったのかもしれない。

「大丈夫？」

緑輝がこちらの顔をのぞき込む。

「え？」

「痛いって言ったから、怪我したんかなあって思って」

「いや、楽器ぶつけただけだよ。大丈夫」

べつに久美子自身にはなんのダメージもないのだけれど、楽器をぶつけるとなぜだか反射的に痛いと言ってしまう。そう告げると、緑輝は愉快そうに笑った。

「それは久美子ちゃんの魂がジャックに入っちゃってるんやって」

「え？　ジャック？」

「久美子ちゃんのユーフォの名前だよ！」

ちなみにこっちがジョージね、と緑輝は自分のコントラバスを指差す。そういえば、最初の楽器決めのときにそんなことを言っていた気がする。

「でもさ、滝先生もひどいよねえ。コントラバスだけ木管の日にオーディションするなんて」

「確かにね」

「緑だって低音なのに！」

すねたように、彼女は頬を膨らませる。その指にはいくつか絆創膏《ばんそうこう》が貼ってあった。

ピンク色のファンシーな絵柄は緑輝の趣味だろうか。久美子は目を細め、彼女の手を指差す。

「それ、大丈夫なの？」

「あぁ、これ？」

緑輝がにっこりと笑う。

「弦バスにはよくあるねんなあ。弦って指で弾くから、よく切れちゃうの」

「痛くないの？」

「痛いけど、中学のときよりマシやなあ」

彼女はそう言って、へへへと照れたように笑った。

「中学のときはね、定期演奏会が一日に何度もあったんやけど、午前の演奏会だけで指がボロボロになっちゃってね。絆創膏貼ってもすぐ取れちゃうし、どんどん血が出てくんの。その指で楽譜をめくったら楽譜も血まみれになっちゃって、午後からの演奏会なんて、血でページが張りついちゃったせいで、楽譜ほとんど読めへんかったよ」

笑い混じりに語られた言葉に、久美子はただ苦笑するしかなかった。さすが超強豪校出身。エピソードも壮絶だ。

「そんなにきつかったのに、なんで続けたの？」

けだ。

「吹部だよ。嫌になんなかったの？」

口から飛び出したのは、純粋な好奇心だった。久美子の問いに、緑輝はぶんぶんと首を横に振った。指先で支えられたコントラバスは、彼女の身長よりかなり大きい。

「嫌になんかなんないよ。緑、吹部大好きやもん！」

その声はあまりにまっすぐで。彼女のように生きられたらなあと、久美子は少しだけ目の前の少女をうらやましく思った。


オーディションの結果発表は、期末テストのあとだと言われた。高校生活にして二度目の定期テスト。すでに数学でつまずいてしまっているのだけれど、このまま大学受験を乗り越えられるのだろうか。勉強しようと机へ向かうたびに、久美子はいつも自分の将来が心配になる。

テスト前の一週間は、中間テストと同じく部活が休みだ。気分転換も兼ねて、久美子は本屋へと足を運ぶ。学校のテスト勉強は教科書だけで充分なのだけれど、ついつい新しい参考書が買いたくなるのだ。絶対合格！　とか、目指せ九割！　なんてフレーズを目にすると、なんだか買っただけで自分の頭がよくなったような気になる。そんな参考書を買ったところでたんすの肥やしになるだけなので、成績は上がらないのだけれど。

　参考書コーナーに入ると、棚一面にびっしりと赤い表装が並んでいるのがわかる。太い文字で刻まれた大学名。世の中にはこんなにたくさん大学があるんだなあ、なんてことを考えながら、久美子は意味もなくその通路を進んでみたりする。

「……あ、」

　後ろから聞こえた声に、久美子はとっさに振り返る。

「葵ちゃん？」

「く、久美子ちゃん」

　彼女は一瞬動揺したような表情を浮かべたが、それもすぐに笑顔で塗り潰された。彼女は自身の腕のなかの参考書を隠すように、にっこりと微笑む。こちらへと近づいてくるその歩みが遅いのは、あまり関わりたくないと思う彼女の心の表れか。

「どうなん？　部活のほうは」

「あ、うん。頑張ってるよ。いまはテスト週間中だけど」

「全国には行けそう？」

「結果が出ないとわかんないよ、それぱっかりは」

「そっか」

　葵は静かに目を細めた。

「……晴香は、どう？　元気にやってる？」

「晴香っていうのは、小笠原部長のこと？」

「そう。私、ひどいこと言っちゃったし。いまちょっとお互い気まずいねんなあ」

ひどいこととは、葵が部活を辞めたミーティングの日の会話のことだろう。

「いちおう大丈夫だと思う。あすか先輩がフォローしてくれたから」

「またあすかか」

その名前を聞いて、葵は肩をすくめた。

「あの子、本当に万能やんな。勉強もできるし、演奏も上手いし」

「あすか先輩、頭いいの？」

「いいよ。めちゃめちゃいい」

葵はそう言って、自嘲めいた笑みを浮かべた。その瞳が自身の手のなかにある参考書へと向けられる。

「私の第一志望、あすかの滑り止めやから」

その言葉に、久美子はなんて反応していいのかわからなかった。ふっと、葵が乾いた笑みをこぼす。冗談めかした声で、彼女は告げた。

「私もあすかみたいに賢かったら、部活続けられたのに」

そこに含まれた、小さな棘《とげ》。彼女の声は楽しげで、なのに久美子の耳にはひどく物悲しげな音に聞こえた。じゃあ。葵はそう言って、この場から立ち去ろうとする。その華奢な背中に、久美子は思わず声をかけていた。

「葵ちゃん、」

「何？」

彼女は振り返る。

「部活辞めたの、後悔してない？」

「してないよ。まったくしてない」

晴れやかな表情で言う彼女の指が、自身の腕をぎゅうとつかむ。白い皮膚に残る赤い痕。それがあまりにも痛ましかったものだから。

「そっか」

久美子は笑って、だまされたふりをした。

四　さよならコンクール

返却されたテスト結果に震え上がりながらも、なんとかテスト期間は無事終了した。数学の成績がどんどん下がっているが、まあなんとかなるだろう。根拠のないポジティブ思考で自分を励ましながら、久美子は顧問の待つ音楽室へと向かった。今日はＡ編成メンバーの発表の日だ。ちなみに明日は、１stや２ndといった楽譜のパート分けとソロを吹く人間が発表される。

「低音はどうなるんだろうねえ」

緑輝が顎をさすりながら、もっともらしい顔を作る。

「緑の勘では、全員受かると思うよ！　低音ってもともとのメンバーが少ないもん」

「……だといいけどね」

久美子はそっとため息をつく。教室の隅には無表情の麗奈、その斜め右にはパーカスの男子生徒とふざけ合っている秀一がいる。一年生、二年生、三年生。部員たちは皆一様に、緊張した面持ちを浮かべていた。……いや、緑輝だけは余裕そうだったが。

「弦バスは緑一人だからねえ、絶対落ちないと思うよ」

こちらの思考を読み取ったように、緑輝はにっこりと微笑んだ。おそらくその予測は当たるだろう。彼女の演奏技術は優れているし、彼女以外にコントラバスを操れる人間は、この部活にはいない。

「皆そろったか！」

パーンと勢いよく扉が開く。威勢のいい声に驚いていると、美知恵が大股で教室へと闊歩してきた。いまの季節に不似合いな、暑苦しい真っ黒なスーツ。その後ろに滝はいない。どうやら発表は、副顧問によって行われるようだ。

「オーディションを受けた七十一名、全員そろっています」

小笠原が答える。そうか、と美知恵は答え、ピアノの上にファイルを並べた。

「さっそくだが、Aメンバーを発表する。ここで名前を呼ばれなかったものは、次回の合奏練習からBの合奏に参加するように。集合場所は第二視聴覚室だ」

「はい！」

「合格者は全員で五十五名だ。呼ばれた者は大きな声で返事するように」

「はい！」

「また、この結果に異議を唱えることは許さない。我々は贔屓《ひいき》することなくメンバーを選出した。それだけは理解するように。わかったか」

「はい！」

「よろしい」

彼女はそう言ってファイルを開く。彼女を前にすると無意識のうちに背筋が伸びるのはなぜだろうか。心なしか、いつもに比べて部員たちの返事も大きい気がする。

「ではまずトランペットパートからだ」

その言葉に、教室は一気に静まり返る。静寂に紛れる、ぴんと張りつめた緊張感。今回オーディションを受けたトランペットパートの人間は、全員で八名。三年生が二人、二年生が三人、一年生が三人だ。何人かは確実にB行きだろう。久美子は息を呑み、美知恵の顔を見つめる。彼女は無表情だった。

「三年、中世古香織」

「はい！」

「三年、笠野沙菜《かさのさな》」

「はい！」

「二年、吉川優子」

「はい！」

「二年、滝野純一《たきのじゅんいち》」

「はい！」

「一年、高坂麗奈」

「はい！」

「以上、五名がトランペットパートのメンバーだ」

そう美知恵が言った瞬間、二年生の生徒がわっと顔を押さえた。少女のすすり泣く声が教室に響く。誰も喜ばない。おめでとうも言わない。そんな言葉を口にできる雰囲気ではなかったから。じっとりと湿った空気。両肩に重くのしかかる緊迫感。早く発表を終えて、この場から解放されたい。逃げ出したい。そんなことを思いながら、久美子は顔を伏せる。そっと麗奈のほうを盗み見ると、彼女はしゃんと背筋を伸ばしてまっすぐに美知恵を見つめていた。

「次、ホルンパート。三年――」

美知恵が名を呼ぶ声が響く。呼ばれた生徒はうれしさを噛み殺したような歪な表情を作り上げる。呼ばれなかった生徒のなかには号泣する者や、ただじっと動かない者もいた。

トロンボーンパートの番になり、久美子はそっと秀一のほうを見る。彼は祈るように目をつむっていたが、自身の名前が呼ばれるとにっと口元を綻ばせた。その右腕がふらりと宙をさまよう。おそらく感情をぶつける場所を探しているのだろう。結局喜びを分かち合う相手は見つからず、彼はそっとその手を机の上へと戻した。そしてふと視線に気づいたように、こちらへとその瞳を向けた。おめでとう。無言の視線にそんな気持ちを込めてみたけれど、彼には伝わらなかったようだ。秀一は気まずそうな顔をして、すぐさまそっぽを向いた。

「次、低音パート。まずはユーフォニアムからだな」

低音の番が回ってきた。久美子はぐっと唾を呑み込み、自身の拳を握り締めた。心臓がどくどくと暴れ回る。大丈夫だ、ユーフォは全員で三人しかいない。誰かがBに落ちる確率は低いはずだ。必死に自分をなだめているあいだに、美知恵がその口を開いた。

「三年、田中あすか」

「はい」

久美子の隣で、あすかの凛とした声が響く。落ち着いた、自信にあふれた声音。彼女はきっと、確信していた。自分の名前が呼ばれることを。

美知恵が次の名を呼ぶ。

「一年、黄前久美子」

「えっ……」

聞き間違いかと思い、久美子は返事をしそびれた。間違いなく、美知恵は言った。一年、と。まさか。背筋を這《は》い上がってくる悪寒。首筋がぞわりと粟立《あわだ》つ。周りのいぶかしげな視線が、こちらへと突き刺さってくる。

美知恵が怪訝そうな顔をした。

「黄前！　早く返事しろ！」

「は、はい……」

やっとのことで、それだけを返した。握り締めた拳の中身がぐっしょりと濡れている。

「以上、二名がユーフォニアムのメンバーだ。次、チューバ。二年、後藤――」

美知恵の声が、どんどんと先へと進む。卓也、梨子、緑輝。その後の低音のメンバーは皆、名を呼ばれた。呼ばれていないのは、呼ばれていないのは。脳味噌の奥がぐらぐらする。炎に呑まれる紙みたいに理性が溶け出し、久美子の脳内に過去の記憶を垂れ流す。

＊

「お、おはようございます！」

いつものように挨拶した久美子に、しかしいつものような返事は返ってこなかった。久美子を無視し、先輩はユーフォを楽器ケースから取り出す。銀色のユーフォニアム。

中学時代、部活には銀色のユーフォニアムが二本あった。金色の楽器ももちろんカッコいいけれど、久美子は銀色の楽器のほうが好きだった。なんだか特別な感じがして。

「あ、あの……先輩？」

声をかけるが、先輩は刺々しい空気を放つばかりで何も言わない。二人きりの楽器室に、沈黙が落ちる。中学に入学したばかりだった久美子には、その空間はひどく居心地の悪いものに思えた。いつもみたいに何かしゃべってくれないだろうか。そんなことを考えながら、先輩が楽器を取り出すのを待つ。楽器室は狭いので、本来ならば外で楽器を取り出さなければならない。しかし彼女は堂々と音楽室の中央でケースを開けていたので、久美子は自身のケースをしまえないでいた。

「なあ、」

「は、はい」

唐突に声をかけられ、久美子の声は裏返った。見ると、先輩がこちらをじっとにらみつけていた。その迫力に、久美子は思わず後ずさりする。

中学生になっていちばん恐ろしかったのは、この絶対的な上下関係だった。たいして年の変わらない人間が、この空間では偉そうに闊歩している。

「馬鹿にしてんの？」

「え、な、何がですか」

「うちのこと、馬鹿にしとんのかっつってんねんけど」

否定したくても、彼女の視線が反論を許さない。黙り込んだ久美子に、先輩は大きく舌打ちした。その手が伸ばされ、久美子の手首をつかむ。皮膚に食い込む彼女の爪。

「自分がAになったからって、立場が上になったとでも思ってんの？」

「わ、わたしは、べつに……」

「思っとんのやろ。一年のくせに調子乗んなや！」

彼女の足が、久美子のユーフォを蹴る。メッキの剥がれかけた銀色のラッパが、悲鳴を上げて床へと倒れ込んだ。痛い。と、久美子は思った。視界がにじむ。大切な楽器が、傷ついてしまった。へこんでいたらどうしよう。壊れてしまっていたら。演奏会はもうすぐなのに。

「お前がおらんかったらな、うちはAやったんや」

「せ、先輩……あの、」

「しゃべんな、ウザい」

彼女はそう言って、乱暴に久美子の手を振り放した。その衝撃で、久美子は床へと倒れ込む。床に転がった拍子に肘を強く打った。じんと手の先がしびれる。よろよろと身を起こした久美子に、先輩は冷ややかな視線を送る。

「うち、アンタのこと認めへんから」

吐き捨てられた言葉が、久美子の心臓に突き刺さる。込み上げてきた嗚咽《おえつ》に、久美子はとっさに口をふさいだ。先輩はフンとこちらを鼻で笑うと、そのまま楽器室をあとにした。姿が完全に消えたのを確認したのに、それでも指先の震えが止まらない。先輩につかまれた場所を、久美子は必死でこする。摩擦で皮膚は熱くなるのに、つかまれた痕は消えてくれない。視線を落とすと、転がされたユーフォニアムが力なくこちらを見ている。おそるおそる手を伸ばすと、その銀色の表面に自分の姿が映り込んだ。

＊

結局あの先輩は久美子とは親しくなることもないまま卒業していった。彼女にとってあのコンクールは、中学校生活最後の大会だった。それなのに入学したての一年生がその席を奪ったから、だからあの人は久美子を許しはしなかったのだ。優しかった先輩は一日で姿を変え、以降の彼女は久美子の存在を無視し続けた。先輩が卒業するまで低音パートの空気は最悪だったし、久美子は何度も部活を辞めようかと悩んだ。しかし、できなかった。辞めると言い出す勇気すら、久美子にはなかったから。その年、北中は関西大会で銀賞を獲得した。

あの日の、先輩の目。久美子はそれを忘れられない。久美子は音楽が好きだ。楽器が好き。だけど、部活は好きじゃない。音楽を取り巻く、その他大勢の人間が。笑顔の裏に潜んでいる醜い感情を、久美子は確かに知っている。だから信用できない。緑輝のように無邪気に、部活が好きだと言い切れない。

「以上五十五名がA部門に出場する。次回からの合奏では滝先生の指導も厳しくなるだろうから、選出されたメンバーは気を引き締めておくように」

「はい！」

美知恵の言葉に、久美子はハッと我に返る。メンバー発表は終わったらしく、副顧問が平然とファイルをまとめている。教室の空気は相も変わらず暗かった。

「明日はソロとパート分けを発表する。関係ないパートの者はパート練習に励むように」

「はい！」

「以上で、今日のミーティングは終了だ。速やかに帰宅するように。では、解散！」

「ありがとうございました！」

部長の言葉に続き、部員たちが同じ言葉を繰り返す。美知恵は満足そうに微笑むと、それから颯爽と教室をあとにした。残された生徒たちは、皆、複雑な表情を浮かべたまま帰る支度を始めていた。選ばれた人間。選ばれなかった人間。この瞬間ばかりはふたつのあいだに明確な差が生まれている。久美子は鞄をつかみながら、大きくため息をつく。拭った汗はやけにじっとりと冷たかった。

「なんやアンタ、もう帰るん?」

後ろからドンと衝撃を受け、久美子は顔を上げた。肩に回された腕が重い。

「な、夏紀先輩……」

声をかけた人物を認識し、久美子の顔から血の気が引いた。中学のころの記憶が、突然フラッシュバックする。額に浮き出た汗が、輪郭を伝って床へと落ちた。

「あの、先輩、その……」

言葉は喉に突っかかって出てこない。久美子は思わず顔をゆがめた。心臓が耳元で騒がしい。頭にはくらくらするほどの熱量が集中しているというのに、夏紀の手だけがやけに冷たく感じられた。

「何慌ててんの、変な顔して」

彼女はそう笑って、久美子の額をぴんと指で弾いた。思わず額を手で覆う。

「な、何するんですか」

「ん? 意味なんてとくにないけど」

そう言いながら、彼女は久美子の腕をつかんだ。あの先輩とは違う、相手を労《いたわ》るような、そんな強さで。

「なあ？　アンタこれから暇？」

「あ、予定はないですけど……」

　よかった、と彼女は人懐っこい笑みを浮かべる。

「じゃあさ、いまからマクド行こうや」

「マックですか？」

　大丈夫ですけど。そう続けた久美子の言葉に、夏紀はブッと噴き出した。

「なんやのマックって。パソコンか！」

「いや、だってマックはマックですよ」

「どっから小さいツが出てきてん。絶対マクドやろ」

　関西と関東では略し方が違うものがたくさんある。イントネーションなどの差も気になるらしく、会話中に議論が巻き起こることもしばしばだ。そういう場合、たいていは誰かが本題を忘れていたことを思い出し、くだらない議論の決着はつかぬまま放置されることが多い。

「とりあえず、二人でマクド行こう。百円まではおごったるから」

「百円で何が買えるんですか。あと、マックですよ」

「何か買えるわ。マクドは学生に優しいお店やからな」

　彼女はそう言って口端を吊り上げた。

高校の近くにあるファーストフード店には、見知った制服を着た学生たちがあふれていた。夏紀は慣れた様子でいちばん奥のテーブル席を確保すると、当たり前のようにソファーのほうに荷物を置いた。結果的に、久美子はその正面の椅子へと座ることになる。

「アンタ何食べたいん？」

「え、あ……じゃあ、シェイクで」

「オッケー、了解」

彼女は久美子の肩を軽く叩くと、そのままレジへと向かっていった。先輩にパシリみたいな真似をさせてもいいものだろうか。そう真剣に久美子は考え込んだが、目の前にある二人分の荷物を放置するのも心配だったので、大人しく席に座っておいた。

「苺でよかった？」

「あ、なんでも大丈夫です」

「まあ、嫌って言っても飲んでもらうけど。うちはチョコ派やから」

戻ってきた彼女はそう言って、トレイからカップを差し出した。真っ赤なストローが刺さっているそれを、久美子はおずおずと受け取る。夏紀は豪快にソファーへと腰かけると、こちらにも聞こえるくらい大きなため息をついた。

「あーあ、選考落ちてしもうた」

「ぐほっ」

忘れていた事実を突きつけられ、久美子は思わず咳《せ》き込《こ》んだ。そんな後輩を見つめ、夏紀はケラケラと愉快そうに笑った。

「何？　気ぃ遣ってくれてんの？」

「い、いやあ、その……」

気を遣っているわけではない。久美子は無言でストローをくわえる。彼女がAに受からなかったことが、ただ嫌だっただけだ。

「気にせんでええって。だってさ、考えたら当たり前のことやろ？　うちは高校入って吹奏楽を始めたから、まだ一年しかユーフォを吹いてへん。アンタのほうが受かるのは当然や」

「でも」

「それにさ、べつにコンクールは今年で終わりってわけちゃうねんから、来年頑張ってAで出ればええやんか」

彼女はそう言って、目の前のシェイクをすすった。黄色のストローが、その唇に挟まれる。

「……先輩は、いい人ですね」

考えていたことはたくさんあったのに、結局久美子が口にしたのはそんなありふれたフレーズだった。夏紀は一瞬目を見開き、それからゲラゲラと豪快に笑い出す。彼女が口を離したストローには、くっきりと噛んだ跡が残っていた。

「ちゃうちゃう、そんなんやない」

「でも、こうやって私に優しくしてくれるじゃないですか」

「それはあれやで、久美子があんまりにもうちに気ぃ遣ってるから、ちょっとかわいそうになったんや」

うちさ、と夏紀は言葉を続ける。

「正直、コンクールとかどうでもいいねんなあ。AでもBでも」

「えっ」

「なんかめんどいやん？　そういうの。周りがやってるからいちおうやってるけど」

彼女はそう言って肩をすくめた。

「そもそもこの部活に入ったの、ダラダラできるって聞いたからやし。みんながやる気出し始めたんも今年からやから。なんか部活の変化についていけへんねんなあ」

彼女はそこで目を伏せる。その指先がカップについた水滴を払った。久美子は黙ってシェイクをすする。人工的な甘さが、べったりと舌へ張りついた。

「うちの部活、去年のコンクールどうやったか知ってる？」

「京都大会で、銅賞ですよね」

「そうそう。京都府には地区大会がないから、言ってみればいちばんあかんやつや」

金賞、銀賞、銅賞。コンクールの参加校はこの三つに区分され、それぞれの価値を決められる。高校の部は二日にわたって行われ、金賞を取った高校のなかからさらに関西大会へと進出する学校が決められる。高校数の多いところでは県大会の前に地区大会が行われるが、京都府の場合は地区大会が存在しない。

「ほんまはな、去年も金賞目指して頑張ろうってやる気のあった子はいたんや。さすがに全国に行こうなんて無茶なこと考えるやつはおらんかったけど」

「……もしかしてそれが、いっぱい辞めちゃったって噂の二年生ですか」

「そ」と夏紀はうなずいた。

「まあ、去年の段階ではまだ一年やったけどな。あの子らは先輩たちを説得して、なんとか練習頑張ってもらおうと努力した」

「立派な人たちじゃないですか」

「でも、その努力は無駄やったけどな」

無駄、と久美子はその言葉を反復する。嫌な響きだ。目の前の先輩は揶揄《やゆ》するように、その口端を弧にゆがめる。

「上回生のやつらが、潰しちゃったから」

「潰したって……」

顔を青ざめさせた久美子に、夏紀が首を横に振る。

「いや、いじめとかちゃうよ。単純に、無視したの。皆がその子らをいないみたいに振る舞った」

「……それをいじめって言うんじゃないですか？」

「そうかもしれんけど、ソイツらは自分がいじめてるとは思っとらんかったから。ただうざかったから無視しただけやし」

「でも……」

顔をしかめた久美子に、夏紀がケラケラと笑い声を上げた。

「もちろん、先輩のなかにも練習を真面目にやってるやつはいた。あすか先輩とかな。でも、あの人はただ自分のために吹いてるだけやから、力にはなってくれんかった」

「どういう意味です？」

「そのままの意味や。あすか先輩はただ、自分が楽器を吹けたらそれだけで満足やねん。周りが下手とか、コンクールとか、ほんまはそういうのどうでもいいと思ってはる。あの人は、周りがサボってるなかで一人死にもの狂いで練習してたから、だからあんなに上手いわけ」

確かに、あすかの上手さは部内でも際立っていた。あすかのユーフォニアムと、緑輝のコントラバス。この二人の技術力を見込んで、滝は課題曲に低音が目立つ楽曲を選んだのかもしれない。

「あすか先輩は怖いほど中立。誰にも肩入れせえへんかった。真面目に練習やりたがってたやつらとも、ダラダラ部活をやりたいやつらとも、どっちとも上手くやってた。『あすか先輩は特別です』って皆が言った。でも、結局あの人はあいつらをかばってはくれんかった。中立やからな。ほかの先輩らも、年上の人らには何も文句言えへんかった。結局真面目に頑張ってたやつらは部活を辞めてしもうた。北宇治は銅賞で、でも誰もそれを気にしいひんかった。諦めてたから」

あすか先輩は特別やから。それは夏紀が何度も繰り返してきた言葉だった。

「葵先輩はあの子らのこと気にしてた。小笠原部長もな。先輩らが卒業して、小笠原サンが部長になったとき、部内の空気は結構マシになったよ。そこに滝先生が来て……まあ、いまの三年生は練習ちゃんとしとるやつも多かったし、関西とか全国の出場経験のある一年も入ってきてたから、相乗効果で上手くなったな。全国行くなんてあほみたいなこと言えるようになったのはそのおかげやわ。でも……葵先輩だけは、あのときの自分がずっと許せへんかったみたいやけど」

——一生懸命頑張りますなんて、私には言う権利ない。

葵の言葉が、不意に久美子の耳元に蘇る。あのときの彼女の瞳は、ずいぶんと痛々しい色をしていた。

「……夏紀先輩は、その、辞めちゃった二年生と、仲がよかったんですか？」

「どうしてそう思うん？」

「だって、その……なんか、怒ってるように聞こえたんで」

「怒ってるって……誰に対して？」

「卒業した去年の三年生とか、あとは……見て見ぬふりをした人たち、とかに」

久美子の言葉に、夏紀はくすりと笑みをこぼした。ストローをつかみ、彼女はぐちゃぐちゃとその中身を混ぜる。唇についたアイスを舌でなめ取り、彼女は意味ありげな視線を久美子に送った。赤い舌が、唇の隙間からチラリとのぞく。

「なんで去年、皆がコンクールで頑張れへんかったんやと思う？」

「え？」

「だってさ、まあ確かに滝先生は怖いけど、それって頑張る理由にはならへんと思わん？　去年はさ、練習するほうが変みたいな顔してるやついっぱいいた。なのに今年はAに行けへんかったくらいで泣いちゃうやつとかおってさ。気持ち悪ない？　去年まではなんやったんって感じちゃう？」

「それは……確かに、」

いきなり心変わりをするには、少し唐突すぎる気もする。入学式のときに聞いた演奏は、下手だったしやる気もなかったし。いったい何が彼らを変えたのだろう。久美子は今年からこの高校に来たので、夏紀の言う言葉がどこまで確かかはわからない。しかし、この吹奏楽部が今年大きく変わったことだけは真実だった。

「空気」

「はい？」

突然吐き捨てられた言葉に、久美子はポカンと口を開けた。夏紀は目を細め、もう一度同じ言葉を繰り返す。

「だからさ、空気。うちの部活って、周りの空気に弱いわけ。だから皆が頑張るって言ったら頑張るし、頑張らないって言ったら頑張らない。多分、たったそれだけの理由やで。去年と今年の違いは」

自分があるやつなんて、ほとんどおらん。

彼女の唇から、ぽつりと声が落ちる。それは他者に向けてのようにも、彼女自身に向けての言葉のようにも久美子には思えた。

「そういう意味じゃ、滝先生はまとめるのが上手いな。そういう空気を作るのが」

「それはあるかもしれませんね」

「やろ？」

久美子の反応に満足したのか、夏紀は笑みを深くした。

「そもそも初めの合奏のときとか、あんなふうに合奏を途中でやめんでも、きっちり指導したらよかったと思わん？　そしたら皆、滝先生の指導に逆らったりはしいひんかったはずや。あの人、腕はあるんやし」

「まあ、そうですね」

「でも、滝先生はそうしいひんかった。多分、あの人は最初に見せつけたかったんやと思う」

「見せつけるって、何をですか？」

夏紀の言葉に、久美子は無意識のうちに眉根を寄せる。彼女の口端が意地悪く吊り上がった。

「そりゃもちろん、うちらがいかに下手かってことをやろ」

久美子は思わず唾を呑んだ。

「先生の戦略は上手いわ。二回目の合奏で、うちらは一気に上手なった。滝先生の指導のおかげや。あの合奏でうちらは先生の実力を認めざるをえんくなった。あの先生はわかってるんや、空気の作り方を」

空気、と久美子はつぶやく。そう、と夏紀はうなずいた。

「結局うちらは、そういう空気に乗せられてるだけなんかもしれんなあ」

彼女がひっそりと独りごちる。久美子は紙ナプキンを数枚取り出すと、それをくしゃくしゃと握り潰した。皺の寄った紙くずが、テーブルの上に力なく転がる。手のなかにあったストローは、味気のない血の色をしていた。

期末テストが終わり、久美子を待ち受けていたのは二度目の面談週間だった。前回は母親を含めた三者面談だったが、今回は担任の美知恵と二人っきりだ。吹奏楽部の副顧問でもある彼女は、久美子の顔を見るなり、ふと口元を緩めた。

「黄前、部活は頑張っているか？」

「あ、はい」

萎縮しながら、久美子はうなずく。普段は険しい美知恵の表情も、二人きりになると微かに和らいだものとなる。この切り替えが、彼女が恐れられながらも生徒に人気がある理由なのかもしれない。

「高校は慣れたか」

「だいたい慣れたと思います」

久美子は素直にうなずいた。こうやって近くで見ると、美知恵の顔には多くの皺が刻まれているのがわかる。

「黄前は、コンクールはAで出るんだったな」

「は、はい。そうです」

「緊張しているか？」

「緊張はしてます。でも、慣れてるんで」

「そうか、頼もしいな」

美知恵はわずかに目を細めた。その頬にある黒子《ほくろ》をぼんやりと数えながら、久美子は縮こまっている。窓の外からはジャワジャワと蝉《せみ》の鳴き声が聞こえていた。日差しに溶け込んだ夏が、窓ガラスに張りついている。

「学生生活で、何か困っていることはないか？」

「数学のテスト結果……ですかね」

「それは大問題だな。復習をしっかりしておくように」

美知恵はそう言ってくすりと笑った。はい、とうなずきながら、久美子は意味もなく自身の前髪をいじる。

「進路は決まっているのか？　どんな職業に就きたいとか、そういう夢は？」

「いえ、とくに」

「そうか。まあ高校生活は長い。焦らず決めればいい」

「そ、そうですよね」

「だが数学の勉強はしておけ。あとあとになって成績が足りないなどという羽目になるのは困るだろう？」

「お、おっしゃるとおりです」

「わかっているならいい」

彼女はそう言って、久美子の肩を叩いた。その手は小さく、くしゃくしゃと皺が刻まれている。白い皮膚の上にはっきりと浮かんだ青い血管に、なんだか心臓の裏がざわざわした。そういえば、美知恵と母親は同じくらいの年齢だ。そんな漠然とした思考が、久美子の脳味噌を不意に通り過ぎていった。


二者面談を終え、久美子は部活へと向かう。廊下を通るだけで、ほかの部員たちが練習している音が聞こえる。その音に耳を傾けながら、久美子はしみじみとつぶやく。

「……ほんと、上手くなったな」

最初のころと比べ、個々の演奏技術が上がっている。あれだけみっちりと基礎練習をやらされれば、こうなるのも当然かもしれないが。今年始めたばかりの一年生が器用に楽譜を吹きこなしているところを見ていると、称賛の気持ちが湧き上がる反面、わずかばかりの焦燥が心臓の端に引っかかる。自分はこの程度で大丈夫なのだろうか。いつか追い抜かされるのではないか。胸の奥でうごめく醜い感情を、久美子は息を吸うことで押し潰す。膨らんだ肺が、臓器の辺りを圧迫した。

楽器室へと向かっていると、何やら音楽室から騒々しい喚《わめ》き声が聞こえてきた。久美子はとっさに左手の腕時計を見る。おかしい。この時間はパート練習のはずなのに。そこまで考えて、久美子はやっと思い出す。そういえば、今日はソロの発表日だった。

　楽器室と音楽室はつながっている。そこにはすでに先客が何人かいて、皆、興味津々といった様子で音楽室のほうをのぞき込んでいた。

「アンタも見る？」

　パーカッションの先輩にそう手招きされ、断り切れなかった久美子は扉の隙間から音楽室をのぞき込む。なかにはまだたくさんの部員がいた。トランペット、ホルン、フルート、オーボエ……皆、ソロに関係するパートばかりだ。

「うちは納得できません！」

　耳をつんざくような、甲高い叫び声。久美子は思わず顔をしかめた。

「なんで香織先輩じゃなくて高坂なんですか！」

　そう癇癪《かんしゃく》を爆発させているのは、トランペットの優子だった。その隣で香織が困ったように笑う。

「いや、でも、オーディションで麗奈ちゃんに決まったわけやから……」

「そんなん、納得いきません！」

　優子が地団太を踏んだ。周りの先輩たちもひそひそと顔を見合わせる。確かに一年がソロっておかしくない？　普通、香織がソロでしょ。空気読んでさっさと辞退したらええのに。不明瞭なささやき声の矛先は、まっすぐに麗奈へと向けられている。それでも彼女は動揺した様子ひとつ見せず、無表情のまま自身のファイルを片づけていた。

「まあまあ、落ち着いて」

小笠原がなだめるように優子の肩を叩く。それを振り払い、優子は麗奈のほうへとにじり寄った。

「ちょっとアンタ、なんで無視すんの」

彼女の手が麗奈の腕を強引につかむ。少女の手から、楽譜ファイルが滑り落ちる。

「……なんですか」

麗奈は言った。その不遜な態度に、周りの空気はさらに険悪なものになる。

「なんですかやないやろ！　なんで香織先輩じゃなくて、アンタがソロなんさ」

「優子ちゃん、もういいから」

香織が制止する。しかし優子は止まらない。麗奈は目の前の先輩を無言で見下ろしていたが、ふとその唇が動く。

「なんでって……本当はわかりきってますよね」

「何が」

「香織先輩よりアタシのほうが上手いから、だからアタシがソロなんですよ」

簡単でしょ？　言い捨てた麗奈に、優子の頬が怒りに染まる。必死に優子を落ち着かせようとしていた香織は、そこでぐっと息を呑んだ。その大きな瞳に水面が張る。長い睫毛に縁取られたその目が、ゆらゆらと光でゆがんだ。

「……ほんまにそれだけなん？」

「何が言いたいんですか」

優子の言葉に、麗奈はわずかに目を細める。その瞳の冷たさに、久美子は思わず逃げ出したくなった。ひい、と漏れた悲鳴は、多分久美子のものだけではない。

「アンタさ、滝先生と前から知り合いやったやろ」

麗奈の目が大きく見開かれる。感情を映さないその表情に、初めて驚愕《きょうがく》の色が浮かんだ。

「な、なんですか。いきなり」

「アンタの父親と滝先生って交流あるらしいやんか。だからアンタは滝先生に贔屓されて――」

「先生を侮辱するのはやめてください！」

贔屓という言葉が出た瞬間、麗奈の頬に紅が散った。無抵抗だった左腕が、乱暴に優子の手を払う。パシンと、乾いた音が響いた。あんなにも感情的な彼女の声を、久美子はついぞ聞いたことがない。

「私のことはどうでもいいですけど、滝先生のことを悪く言うのはやめてください。コンクール前のこの時期に顧問を侮辱するだなんて、本当に信じられない。本気で先輩は、先生が贔屓したと思ってるんですか」

その迫力にひるんだのか、優子がぐっと言葉を詰まらせる。小笠原はオロオロと右往左往するだけで、なんの力にもなりやしない。こんなときにあすかがいれば。久美子は唇を噛む。タイミングの悪いことに、副部長はいま面談の真っ最中だ。

香織がおずおずと口を開く。

「れ、麗奈ちゃん、ほんまごめんな。この子、私をかばってくれてるだけやから」

「先輩！」

「優子も、変なこと言わんといて。私はべつに、気にしてなんか――」

香織の言葉が、不自然な場所で途切れる。こらえていたものが弾けたように、彼女の瞳から涙があふれた。それは頰を伝い、彼女の滑らかな肌をゆっくりと滑り落ちていく。教室が一気に静まり返るのがわかる。目頭を指先で押さえ、香織はそれでも歪な笑顔を作った。

「ほんまに、大丈夫やから」

その声は、震えていた。香織を同情する声がざわざわと教室中に響く。

三年にあそこまで言わせるとかマジありえんやろ。やっぱ高坂さん性格悪いな。香織がかわいそう。そうまでしてソロやりたいんかな？　普通は先輩に譲るでしょ。

膨れ上がった不満の声を、麗奈はただにらみつけるだけで押し潰した。先ほどまで感情を露わにしていた彼女はどこへ行ったのか。麗奈は再び表情から感情を排除すると、教室をぐるりと見回した。その眉間に、わずかに皺が寄る。

「ケチつけるなら、アタシより上手くなってからにしてください」

吐き棄てるようにそう言って、彼女は音楽室をあとにした。その拳がぎゅうと握り締められるのを見つけ、久美子は息を呑む。顔に出ないからといって、彼女が傷ついていないわけがない。

「麗奈！」

何かを考えるよりも先に、久美子は走り出していた。


「麗奈！　麗奈！」

久美子は必死に麗奈の背中を追う。その形相に廊下を過ぎる生徒たちが好奇の視線を投げかけてくるが、いまの久美子にはどうでもよかった。麗奈はこちらを見ようともせず、ただがむしゃらに足を進めている。まるで久美子から逃げるみたいに。

「ちょっと、待ってよ」

日頃の運動不足が祟《たた》ったのか、すぐに息が切れる。久美子は肺活量には自信があったが、運動神経はいいほうではない。それでも彼女の腕をつかめたのは、急に麗奈がその歩みを止めたからだ。

「うわあ！」

いきなり止まられ、久美子は彼女の背中に思わず頭を突っ込んだ。痛い。額を押さえた久美子に、麗奈は何も言わない。ただそこに立ち尽くしている。いつの間にか校舎の奥までやってきていたらしい。屋上前の階段に、ほかに人影はなかった。

「……あの、麗奈？」

手首をつかんだまま、久美子はおそるおそるその顔をのぞき込む。無言を貫いていた黒髪の美少女は、歯を食いしばったままただじっとうつむいていた。その唇の隙間から、小さくうめき声が漏れる。

「…………ぃ……」

「え？」

思わず聞き返した久美子に、麗奈は今度こそはっきりと口を開いた。その目がカッと見開かれる
「ウザいウザいウザい！　もうなんなんアイツら！　意味わからん、ほんま性格悪すぎやろ！　クソみたいなやつらばっかりか！　あー、もう！　うっとうしいなあ！」

少女の絶叫が廊下に響き渡る。そのあまりの大音量に、久美子はただ瞬きを繰り返

すしかなかった。麗奈は幾分かすっきりした表情で、ふうと大きく息を吐き出している。胸をなでたその手が、おもむろに久美子の手のひらをつかむ。

「なんて顔してんの」

彼女は笑った。

「だって、落ち込んでるかと思ってたから」

「落ち込んでないよ、ムカついてるけど」

彼女はそう言って、ニッとその口端を持ち上げる。その張りつけたような笑顔に、久美子は胸が苦しくなった。笑わなくていいのに。そんなことを思う。

麗奈は無言で久美子の顔を見つめていたが、やがてその手をそっと久美子の腕に滑らせた。袖口から剥き出しになった、彼女の滑らかな白い肌。なんだか無性に暑い。久美子は目を伏せる。少女の輪郭から落ちる汗が、その鎖骨をするりとなめる。赤く蒸気した彼女の頬が、遠慮がちに久美子の手へと触れた。

「久美子、」

それだけ言って、彼女は急に久美子の身体を抱き締めた。布越しに感じる柔らかな感触に、久美子はどぎまぎしてしまう。麗奈は久美子の背に手を回すと、ぎゅっと力を込めた。おずおずと、久美子もその背に手を回す。

「久美子、」

彼女は同じ言葉を繰り返す。その響きがあまりに切羽詰まっていたものだから、久美子は彼女の華奢な背をゆっくりとなでた。制服越しにもわかる、彼女の背骨。それをゆるゆるとたどっていくと、下着の部分で指が引っかかった。

「アタシ、間違ってると思う?」

「ほんまに?」

「思わないよ」

「うん」

「そう、」

ならいいわ。彼女はそう言って、久美子の肩に顔を埋《うず》めた。長い髪がさらさらと流れていくのが見える。影で覆われた空間に、麗奈を照らすものはない。

しばらくのあいだ二人はじっと動かないでいたが、やがて満足したように麗奈は久美子から離れた。彼女は照れたように頬をかくと、そのまま階段へと腰かけた。

「ほら、早く」

そう当然のように言われ、久美子もその隣へと座る。彼女のスカートを踏みつけてしまったが、麗奈に気にした様子はない。紺色のスカートからのぞく、柔らかそうな太もも。

「ちょっとさ、アタシの話聞いてくれる?」

「拒否権あるの？」

「ないけど」

彼女は笑みをこぼすと、久美子へともたれかかってきた。地味に重い。

「アタシのお父さんさ、プロのトランペット奏者やねん」

「えっ、そうなの？　すごい」

「自慢の父親やからな」

彼女はそう言って、フフンと鼻を鳴らした。

「お父さん、滝先生のお父さんと昔から仲いいねん」

「滝先生のお父さん？」

「うん、滝透《とおる》っていう超有名な吹奏楽部の指導者やで。ずっと全国大会で金賞とってはった」

「え、滝先生のお父さんってそんなすごい人なの？」

「すごいよ。アタシ、透さんに教えてもらうのが小さいころからの夢やっててん」

麗奈は想いを馳《は》せるように、うっとりと目を伏せた。

「でも、透さん年やったから、アタシが高校生になる前に退職しはってんなあ」

「あ、もしかしてそれで……」

「そ。透さんが退職しちゃったから、代わりに息子の滝先生に教えてもらおうと思って。それでアタシわざわざこんな高校に来たわけ」

　なぜ彼女が北宇治を選んだのか。長いあいだ抱えていた謎が、ここにきて解決した。しかし疑問はまだ残っている。久美子は首を傾げた。

「でもさ、なんで滝先生が北宇治に来るってわかったの？　あの人、今年からうちの高校に来たんだよ？」

「それはあれよ、ちょいとお母さんの力を借りただけよ。ここだけの話やけど、滝先生が知るよりも先に、うちはあの先生がこの高校に来るって知ってたから」

「何それ、こわい」

　怪しげな笑みを浮かべる麗奈に、久美子はそれ以上尋ねることをやめた。ふふっと彼女は愉しげな笑みをこぼすと、不意に身を起こし、久美子の顔を見上げてきた。その瞳の奥は、星が飛び散ったみたいにちかちかと輝いている。彼女は頬を赤くしたま、ぎゅっと久美子の手を握る。

「アタシさ、滝先生のこと好きなの」

「……は？」

「あ、ライクちゃうよ？　ラブのほうね」

　いや、そのほうがまずいのではないだろうか。はにかんでいる彼女を眺めながら、久美子はぼんやりと考える。まあ、愛に年の差はないというから、ひと回り以上年が違っても大丈夫なのかもしれないが。

　麗奈が目を微かに細める。赤い唇が、弧にゆがんだ。

「だからさ、アタシのせいで滝先生の評判が落ちるの、許せへんねんな」

　低い声が、二人っきりの空間にはよく響いた。久美子は階段の先へと視線を移す。屋上へとつながる扉には、鎖が固く巻きつけられていた。誰も空を飛ばないように。外への扉は、その口を閉ざしたままにしている。

「……ソロ、香織先輩に譲る気は？」

「ない」

　即答だった。

「でも、それじゃあ皆から文句言われちゃうよ？」

　久美子の言葉に、麗奈はフンと鼻を鳴らす。彼女は腕を組み、不敵に笑った。

「ねじ伏せたるわ、そんなもん」

　そう言い切る麗奈の潔さに、久美子は思わず、おぉ、とうなった。彼女の言動の根底にあるのは、才能に裏打ちされた自分への絶対的な自信だ。久美子には決して持ちえないもの。その姿はあまりにもまぶしく、久美子は思わず目を逸らした。

「そうだね、麗奈ならできるよ」

　そう言って、久美子は曖昧に微笑んだ。麗奈はうれしそうに目を細めると、久美子の手を取って立ち上がる。柔らかな彼女の手のひらは、ぞっとするほど冷たかった。

麗奈とは途中で別れ、久美子は楽器室へと戻った。音楽室にはもうほとんど人は残っておらず、パーカッションのメンバーたちが普段どおり練習していた。麗奈はトランペットのパート練習部屋へと戻ったのだろう。優子たちがいる、あの場所へ。なんて心臓の強い子だ、と久美子はつい感心してしまう。

ユーフォニアムを提げて廊下を歩いていると、ふと頭上から声が落ちてきた。見上げると、上の階の踊り場部分から誰かの話し声が聞こえる。盗み聞きするつもりはなかったけれど、聞き覚えのある声に久美子は足を止めた。香織とあすかだ。

「さっきえらい揉めてたらしいやん？」

「優子ちゃんが、ね」

「あの子ほんまアンタのこと好きやからなあ」

「うん、それはうれしいけど……ちょっと困ることも多いなあ」

その言葉に、あすかがケラケラと楽しげな笑い声を上げた。もう！　と香織のすねた声が響く。

「笑いごとちゃうよ？」

「あぁ、ごめんごめん。ペットの空気、いまどうなってんの？」

「最悪って感じかな。麗奈ちゃんはいつもどおり練習してるけど、優子ちゃんはずっと苛々してるみたい」

「この時期にそれは勘弁してほしいわあ。トランペットのせいで部内分裂とか、やめてや？」

「……ごめん」

「まあ、香織のせいやないけどね」

クツリとあすかが喉を鳴らす。人気があんのも困りもんやな。彼女の言葉に、香織がため息をつく。その話し声が、急に潜められた。水分を含んだような、吐息の混じった声が落ちる。

「……あすかは、」

「ん？」

もしかして、聞いてはいけない内容だろうか。そう思うが、野次馬根性が邪魔をして、いまさら立ち去ることなどできない。

「あすかは、どっちが適役やと思う？」

「ソロの話？」

「うん」

香織がうなずく。まどろみのような、柔らかな声。

「上手いほうがやるべきやと思うよ。滝先生はそういう基準で決めてはるみたいやし」

あすかが答える。その言葉はどこをどう切り取っても正論で、香織がいじけたような声を出す。

「麗奈ちゃんのほうがいいってこと？」

「それはうちが決めることちゃうし」

「またそうやってはぐらかす」

軽い衝撃音。おそらくふざけて香織があすかを叩いたのだろう。

「私、冗談でもあすかにはそういうこと言ってほしくない」

「そんなことって？」

「……麗奈ちゃんのほうがいい、とか」

「うち、そんなこと一切言ってへんやん。それ言ったの香織やろ？」

あすかが噴き出す。反論できないのか、香織が苦し紛れに何やら言い返している。なんだか甘ったるい会話になってきた。顔をしかめた久美子に、突如背後から声がかかった。

「久美子、こんなとこで何やってんの？」

「ひゃあ！」

驚いて振り返ると、チューバを抱えた葉月が立っていた。

「な、なんでもないよ！」

「ふうん？　まあいいけど」

とくに興味はなかったのか、葉月はそれ以上の追及をやめた。早く行こうや。彼女の言葉に従って、久美子もパート練習の教室へと向かう。いくら耳を澄ませても、先輩たちの内緒話はもう聞こえなくなっていた。


終業式も無事終わり、ついに北宇治高校も夏休みを迎えた。グラウンドや体育館では、運動系の部活が夏の大会に向けて精を出している。野太いかけ声が廊下や中庭で飛び交っているのを耳にするのは、なんとも暑苦しいものだった。

吹奏楽部の練習は、ラストスパートということでどんどんとハードなものになっていった。普段の休日練習は九時から十七時までだというのに、コンクール前という理由で二十時までに延長された。部員たちは悲鳴を上げながら、合奏と練習を繰り返す。演奏曲を何度も繰り返しているうちに、気づいたら意識の奥深くまでその旋律が入り込んでしまっている。お風呂に入るときも、ベッドに寝転がるときも、気づいたら楽譜を口ずさんでしまっている自分が、久美子は少し恐ろしかった。

「えー、本番の日程が決まりました」

基礎練習とチューニングを終えて早々、滝は笑顔でそう告げた。部員たちの視線が一斉に顧問へと向けられる。

吹奏楽コンクールの京都大会は、二日に分けて行われる。A編成の部は、八月五日に約三十団体、二日目の八月六日に約十団体が演奏する。このなかで関西大会へ進めるのは上位三校だけだ。演奏順はくじ引きで決められるのだが、この運任せで決定される順番こそがとても重要だったりする。早い順番を引いてしまうと、時間が早くなる分、練習時間が減ってしまうので、少しだけ不利になるのだ。まあ、順番だけで評価が左右されたりすることはありえないけれど。

「北宇治高校は二日目、十一時からです。順番は、立華高校の次です」

その瞬間、ええっ、と部員から不満の声が漏れる。強豪校の後ろというのは、すぐさま比較されてしまうので、あまりいい順番ではない。

「大丈夫ですよ」

滝がにっこりと微笑む。

「今回『三日月の舞』を課題曲に選んだ高校はほとんどありませんし、自由曲もかぶっていません。審査員の方も新鮮な気持ちで私たちの演奏を聞いてくれるでしょう。それに、私は北宇治高の演奏が立華高校に負けているとは思いませんから」

顧問の言葉に、部員たちの目が輝く。普段からネチネチと怒られ慣れているせいか、皆、滝の褒め言葉にひどく弱い。

コンクールの評価は審査員によって決められる。この審査員という仕事もなかなか大変らしく、何度も同じ曲を聞かされているとうんざりしてくるらしい。課題曲は五曲のなかから一曲を選択するのだが、難易度などが理由で選ばれる曲は偏ってしまう。人気の課題曲になると、十校連続で演奏……なんてことが起こるのだ。そういった意味では、ほとんど人気のない課題曲を選んだ北宇治高校は有利とも言える。

「ちなみに立華高校の課題曲は『吹奏楽のためのマーチ』、自由曲は『宇宙の音楽』です」

その言葉に今度は悲鳴が上がる。フィリップ・スパーク作曲の『宇宙の音楽』といえば、難易度がすさまじいことで有名だ。数年前、福岡のとある高校が全国大会でプロ顔負けの演奏を披露し話題となった。中学生だった久美子はその音源を顧問からもらい、音楽プレイヤーに入れて何度も聞いた。立華高校はマーチングの超強豪校であるが、コンクールでも強い。高難易度の曲でもきっと仕上げてくるだろう。

滝が苦笑する。

「そんなにおびえなくてもいいですよ。私たちは私たちなりに演奏するだけで大丈夫です。努力の分だけ、結果はついてきますよ。私は皆さんの頑張りを知っています」

先生！　と、歓声が上がる。なんだか今日の滝はおかしい。褒め言葉の大盤振る舞いだ。いぶかしげな表情を浮かべた久美子に、滝が一瞬だけその視線を送る。涼やかな目元にドキリとした。彼は含みのある笑みを浮かべると、再び正面へと視線を戻す。

「では、合奏を始めましょうか。まずは一度通します」

掲げられた指揮棒に、部員たちの表情は一瞬で引き締まる。久美子はユーフォニアムを構えると、マウスピースへと口づけた。

練習が終わると、あんなにも騒がしかった校舎もすぐに静まり返る。生徒の帰った学校は二十時を過ぎているということもあり、なんだか陰鬱としている。人気のない廊下。静寂が溶け込んだ闇のなかで、非常口の灯りだけが緑色に燃えている。廊下に落ちている影は不気味で、久美子は些細な物音にも足を止める。

「うう……」

どうしてパート練習の教室に財布を忘れてしまったのだろう。自分の迂闊《うかつ》さを呪いながら、久美子は足を進める。幸いなことに、職員室の灯りはまだついていた。事務員が残っているのだろうか。早く鍵を借りて財布を回収してしまおう。そう決意し、久美子は逃げるように職員室へ飛び込んだ。

「失礼しまーす……」

教師たちはもう帰っており、職員室はいつもに比べて薄暗かった。広い部屋のその一角だけ、蛍光灯が点灯している。誰が残っているのだろうか。教室に残っている人を探して視線をさまよわせていると、不意に珈琲の香りが鼻先をかすった。

「何してるんですか？」

振り返ると、マグカップを手にした滝が驚いたようにこちらを見ていた。橙色《だいだい》のカップからは白い湯気が立ち上っている。

「もう二十時半ですよ？　出歩くには遅い時間だと思いますが」

「あ、あの。財布をパート練習の部屋に忘れてしまいまして」

その言葉に、滝が呆れたようにため息をつく。

「黄前さんはユーフォニアムでしたね。練習場所は三年三組の教室ですか？」

「そ、そうです」

「わかりました。付き添いますので早めに取りに行きましょう」

彼はカップを机の上に置くと、壁にかかっていた教室の鍵を取り出した。

「え、いいんですか？」

「いいって、何がです？」

「いや、その、ついてきてもらって……」

久美子の問いかけに、滝は不思議そうに首をひねる。

「一人で行きたかったんですか？」

「い、いえ、そういうわけじゃないです。ただ、仕事で忙しそうだったんで、」

「あぁ、べつに大丈夫ですよ。明日の合奏の準備をしていただけなので」

滝はそう言って、にっこりと人当たりのいい表情を浮かべた。合奏のときと、普段の彼。どうしてこうも違うのだろうかと、久美子は思わずにはいられない。基本的に滝は甘い人間なのだ。音楽が絡まなければ、の話だが。

静まり返った廊下を、滝と久美子は二人で歩く。彼とこうして話すのは初めてだ。そんなことを思いながら、久美子は無言で顧問のあとに続く。

「部活は楽しいですか？」

ぼんやりとしていたら、滝のほうが先に口を開いた。慌てて久美子はうなずく。

「は、はい」

「そうですか、それならよかった。じつは、教頭からはお叱りを受けているんですよ。練習のさせすぎだって」

「そうなんですか？」

「そうなんです。三年生は受験ですからね、あんまり無茶をさせるなと言われているんですよ」

まあ、気にしていませんけど。彼はそう言ってにこにこと笑っている。いや、ちょっとは気にしろよ。そう思ったが、相手は目上の人間なので久美子は黙っている。

「黄前さんもちゃんと勉強しなくてはいけませんよ」

「そ、そうですよね」

「まあ、私も高校時代は化学が壊滅的でしたから、えらそうなことは言えませんけど」

静まり返った廊下に、二人分の足音が響く。灯りのほとんど点いていない校舎は、暗すぎて先まで見通すことができない。舌の上がざらざらする。漠然と湧き上がってきた不安をぶつけるように、久美子は滝の顔を見上げた。

「……先生は、私たちが本気で全国に行けると思ってるんですか?」

彼は虚を衝かれたのか、動揺したように一瞬足を止めた。

「黄前さん、まさか行けないとか思ってるわけじゃないですよね?」

「い、いえ、そういうわけじゃないんですけど……」

「ダメですよ、いまの時期に弱気になっては。何事も強気で行かないと」

滝の足が再び動き出す。つかめない人だなあと思いながら、久美子は彼についていく。麗奈は滝のこういうところが好きなのだろうか。

教室につくと、滝は鍵穴に鍵を差し込んだ。右手をひねると、ガチャリと無機質な音がする。

「はい、開きましたよ」

「あ、ありがとうございます」

久美子は急いで教室の灯りをつけた。練習で使用した席に、財布はちゃんと置いてあった。慌ててそれを回収する。

「見つかりました。迷惑かけちゃってすみません」

「いえいえ、大丈夫ですよ」

彼はまったく気にした様子もなく、再び教室を施錠した。その大きな手が淀みなく動くのをぼんやりと眺めながら、久美子はふと頭のなかに浮かんだ問いを口にした。

「先生はどうして吹奏楽の先生になったんですか？」

「そんなこと気になります？」

滝は困ったように眉尻を下げた。その頬は微かに赤い。彼がこんな反応を見せるのは珍しい。好奇心がうずき、久美子は大きくうなずいた。

「知りたいです！」

滝はしばらく考え込んでいたが、やがて諦めたようにその肩をすくめた。

「父親がね、吹奏楽の先生だったんです。多分その影響ですね」

「先生のお父さんって、滝透さんですよね？」

「おや、知ってたんですか」

滝は意外そうな顔をした。麗奈から聞いたんですけど、と久美子は目を逸らす。

「そういえば黄前さんはあの子と仲がよかったですね」

「あ、はい。親しくさせてもらってます」

久美子の言葉が可笑しかったのか、滝が、ふふ、と笑みをこぼした。

「私の父は、十年ほど前までここの顧問をしてたんです。だからこの高校に配属されたときは、少しうれしかったですよ」

「そうなんですか」

それは初耳だった。驚いた久美子の顔を見て、そうなんですよ、と滝はうれしげにうなずいた。北宇治高校の黄金時代は、滝の父親が作り上げたものだったのか。

「先生は小さいころから先生になろうと思ってたんですか？」

久美子の問いに、滝は静かに微笑んだ。

「いえ、全然そんなつもりはありませんでした。私はコロコロ夢が変わる子供でね、漫画を読んだ次の日には漫画家になりたかったですし、映画を見たあとには映画監督、俳優になりたいと思ったことも。陶芸家になりたいと思ったこともありましたねえ」

「そ、それは……なかなかすごいですね」

「でも、」

滝はそこで意味ありげに目配せする。

「でも、結局選んだのはこの仕事でしたよ」

「……後悔してないんですか？」

「さあ？　どうでしょう」

廊下に笑い声が落ちる。彼は笑ってばっかりだ。ふと、そんなことを思った。


「先生、ありがとうございました」

職員室に戻ってきた久美子は、まず先に滝に礼を言った。いえいえ、と彼は小さく会釈する。机の上に置いた冷め切った珈琲が彼を待っていることだろう。

「夜遅いですから、気をつけて帰ってくださいね」

久美子は「はい」とうなずいて、鞄を握り締めた。今度はなくさないように、財布をいちばん奥のポケットへと無理やりねじ込む。

「あ、黄前さん」

「はい？」

帰ろうと一歩足を踏み出した久美子に、滝が声をかけてきた。振り返ると、真剣な表情をした彼がじっとこちらを見つめていた。真っ暗な校舎のなかで、この場所だけが煌々《こうこう》と明るい。安っぽい白の光が、職員室の窓からひっそりと伸びている。その影を踏みつけるようにして、彼はそこに立っていた。柔和な印象を与える瞳が、このときばかりは鋭い光をたたえて燃えていた。

その唇が、はっきりと動く。

「私、本気で思っていますよ。このメンバーなら、全国に行けるって」

久美子は息を呑んだ。この言葉が先ほどの問いの答えなのだと、久美子は瞬時に理解した。彼は自分たちのことを信じてくれているのだ。そう思うと、なんだか温かな感情が胸の奥から突き上げてきた。喉の奥がこそばゆい。うれしさとも恥ずかしさとも取れぬ自身の感情を、久美子は素直に滝へとぶつける。

「わ、私、コンクール頑張ります！」

飾り気のない本音に、顧問はその口元を静かに綻ばせた。


コンクールが刻一刻と近づいてくるにつれて、部内の空気はピリピリと緊張感のあるものとなっていった。初めのころは演奏不可能と思われていた課題曲も、気づけば自然と吹けるようになっているから驚きだ。演奏はどんどんと完成度を高めていき、滝の指導も、音程やリズムといった指導内容が、日を追うごとに表現の仕方といった高次元なものへと変化していった。部員たちは必死で滝の言葉を体現しようと、懸命に工夫を重ねる。こうして見ると部は一丸となってまとまっているように思えるが、その流れに逆らうように対立を深めている者もいた。

「楽譜にアフェトゥオーソって書いてあるでしょう？　どうしてそうメロディーがぶつぶつと切れるんですか。もっと滑らかに演奏していただかないと」

「はい！」

滝は苛々しているらしく、指先で楽譜を弾いている。彼に当てられたトランペットパートの部員たちは、皆、元気よく返事を返しているが、その顔はぐったりとやつれていた。それも無理はない。この部分の指導は、これで十三回目だ。聞いているだけの久美子たちですら、飽き飽きし始めている。

「できるまでやりますからね」

部員たちの思考を読み取ったのか、滝が笑顔で先制する。トランペットパートの部員たちは、おびえたように楽譜を凝視していた。

「じゃあ、パーカッションとトランペットでもう一度」

「はい！」

本日十四回目の演奏。久美子には問題ないように聞こえる音楽も、滝の耳には違って聞こえるらしい。わずかな音程の違いをも聞き分ける彼の聴力は非常に頼もしいが、自分の演奏が指導されているときにはただただ恐ろしく感じるばかりだ。

「もういいです。一人一人吹いていきましょう。中世古さんから」

「はい」

滝の指示に従い、トランペットパートの部員が一人ずつそのフレーズを演奏する。

「高坂さん、もう一度吹いてもらえます？　Fの音が少し高いです」

滝の指摘に、周りからくすくすと意地の悪い笑い声が起こる。麗奈は無表情のまま、はいと答え、もう一度同じフレーズを吹き直した。

「いまぐらいの高さなら合格です。次、吉川さん」

滝の指導はすでに次の部員へと移っている。しかし先ほどの笑い声が、久美子の耳から張りついて離れない。あの日、トランペットソロがオーディションで決まった日から、麗奈と上回生との亀裂は深まるばかりだった。それはほかの部員たちを巻き込み、大きな渦となってこの部の空気をかき回している。香織をかばう上級生と、麗奈を擁護する下級生。何かの拍子で弾けてしまいそうなふたつの均衡がいまも保たれたままなのは、コンクールという同じ目標を抱えているからなのだろうか。だとすると、このコンクールが終わってしまったらこの部はどうなるのだろう。そんなことをぼんやりと考えながら、久美子はクロスで楽器を磨く。

「では、全員でそこをもう一度」

「はい！」

滝の声に、部員たちはヤケクソじみた返事をした。

「ほんま胸クソ悪いわあ」

隣で歩く葉月は機嫌が悪いのを隠そうともせず、そう悪態をついた。

「もしかして、香織先輩の件?」

無邪気に返す緑輝に、久美子はぎょっとする。単刀直入にその話題に触れるとは。慌てて周りを見るが、ほかの部員たちは帰宅していてもう学校には残っていない。無人の通学路を進みながら、久美子は首をすくめる。

「緑はどう思うの?」

「何がー? 香織先輩派か、高坂さん派かってこと?」

「そんなもん、高坂さんを応援するに決まっとるやん。うち、香織先輩は好きやけど、あの人の周りの人は好きちゃう」

葉月が不愉快そうに言う。

「えー、でも緑は仕方ないと思うけどなあ。後輩にソロを取られるのって、やっぱめっちゃムカつくと思うんやけど。香織先輩にとっては最後のコンクールなわけやから」

「何、あんた、香織先輩派なわけ?」

葉月の問いに、緑輝がぶんぶんと首を横に振る。

「そうじゃないって。コンクールでいい評価を取りたいなら絶対ソロは高坂さんにすべきや思う。あの子ぐらい吹ける子なんて、全国レベルでもほとんどおらんし。たださあ、」

そこで緑輝は大きくため息をついた。ただ？　と久美子は聞き返す。

「ほんまにそれだけでいいんかなあと思って」

「どういう意味？」

「コンクールの結果以上に大切なものも、緑はあると思うねんなあ。実力だけで決めてしまうのって、なんか悲しいやん」

緑ね、と彼女は淡々と言葉を続ける。伏せられた長い睫毛を見下ろしながら、久美子は静かに相槌を打つ。

「中学三年間、ずっと全国大会で金賞だったの。聖女は女子校やし、やっぱこういう揉め事っていっぱいあったのね。ソロとかAメンバーとかを決めるオーディションもみんなギスギスしてて、先輩からシカトされる後輩とか、後輩から陰口言われてる先輩とかいっぱいいたの。まあ、基本は仲良しだったんだけどね」

「うわあ、嫌やなあそういうの」

葉月が顔をしかめた。

「そのころから、緑、思ってたの。もし自分がこの中学を選ばなくて、普通の地区大会で終わる学校の吹部に入ってて、みんなで金賞目指して、普通にのんびりやってる部活に入ってたらどうなってたんやろうって。全国とかには無縁だったかもしれんけど、きっとそれも楽しかったと思うねんなあ」

「コンクールの評価だけがすべてじゃないって、そう言いたいの？」

　久美子が尋ねると、緑輝は一瞬考え込むように腕を組み、それからあっけらかんとうなずいた。鞄につけた猫のキーホルダーが、ふらふらと揺れる。

「うん！　たぶん、そういうこと」

　にこにこと笑う緑輝に、葉月が呆れたような視線を送った。

「そりゃあまあそうやろうけどさ、そんな綺麗ごとだけで割り切れんやろ。やっぱり結果出んとつまらんって」

「でもさ、香織先輩がソロやったって、結構なところは狙えると思うよ。正直、高坂さんが上手すぎるってだけで、香織先輩だって普通に上手いねんから」

「じゃあやっぱり緑は香織先輩がソロを吹くべきやって思ってるわけか」

「だって、香織先輩をソロにしたらいまの揉め事も解決するやん！　高坂さんは来年ソロをすればいいだけの話やし」

「そんなん高坂さんかわいそうやろ。なんで自分より下手なやつにソロ譲らんとあかんの」

「そういう考え方、緑、嫌い！　いいやん、一生懸命頑張ってる人に譲ったって」

「そんなこと言い出したら、高坂さんもめっちゃ練習してるやんか」

「でもこんなふうに揉める原因になったのは高坂さんやもん」

「べつに高坂さんが悪いわけやないやろ？」

「そうやけど！　でもそれ以外に解決方法なんてないやんか！」

緑輝と葉月は普段は非常に仲がいいのだが、どうでもいいことですぐに口論し始める。いつも二人のあいだで板挟みになる久美子からすると、たまったもんじゃない。

「ねえ！　久美子ちゃんはどう思う？」

「なあ！　久美子はどう思う？」

二人に声をそろえて尋ねられ、久美子の顔は無意識のうちに引きつった。こういうとき、どちらの言い分にも賛同しないほうがいい。話を逸らそうと視線をさまよわせた先で、久美子の視界にある人物が引っかかった。

「あ、」

久美子に釣られるように、二人もそちらを見る。

そこにいたのは、駅前のコンビニから出てきた秀一だった。彼はこちらを見るなり、げっと顔をゆがめる。

「あ、塚本やん」

葉月がそう言って、おーいと手を振った。久美子の記憶では、彼女は確か二カ月ほど前に彼に振られたはずなのだが、どうしてこう気にした様子がないのだろう。

彼は久美子の姿を目に留めると、すぐさま逃げるようにコンビニへと戻ってしまった。避けられているという自覚はあったが、ここまで露骨だと腹が立つというものだ。

「うわー、久美子ちゃんの顔こわーい！」

緑輝が愉快そうに久美子の眉間を人差し指で突く。地味に痛い。その隣で、葉月がハンと鼻で笑った。

「あのヘタレ野郎め」

「葉月ちゃんったら悪い顔！」

久美子の顔をいじくりながら、緑輝がなぜかうれしそうに叫ぶ。その手を払い落としながら、久美子は大きくため息をついた。アイツの態度はムカつくけど、話題が逸れたからまあいいか。そんなことを考えながら。

「ありがとうございました！」

部員たちが口々に挨拶をして頭を下げる。珍しいことに、まだ日の沈まないうちからこの日の練習は終了した。その理由は簡単で、滝が出張に出かけるからだ。昼からオフだなんて久しぶりだ。久美子は上機嫌で廊下を歩く。

「あ、久美子。お疲れー」

すでに帰る支度を済ませた麗奈が、こちらへと近づいてくる。

「いまから帰んの？」

「うん、久美子は？」

「私はもう少し残ってからにする」

「そっか。じゃ、また明日」

「うん、明日ね」

麗奈は笑って手を振った。久美子も振り返す。彼女が姿を消すと、すぐさま周りにいた先輩たちがひそひそと内緒話を始める。

あの子もう帰んの？　先輩より先に帰るとかありえんやろ。コンクールも近いっていうのに余裕やな。

耳にまとわりついてくる、不愉快なざわめき。それを聞こえないふりをして、久美子は開放されている教室へと向かう。一刻も早く、その場から離れたかった。最近はいつもこうだ。麗奈の通り過ぎた場所にはいつも、彼女を非難する人々が集まる。これもコンクールが終わるまでの辛抱だろうか。

北宇治高校の南校舎は四階まであり、階段で上るとけっこうな運動量となる。普段は北校舎で練習している久美子だったが、この日は人のいない練習場所を探してこんなところまで来てしまった。南校舎の四階廊下は人気がないので、一人で練習するにはうってつけの場所だったりする。

「……あれ」

階段を上っている最中、聞き覚えのあるフレーズが耳に飛び込んできたので、久美子は思わず足を止めた。柔らかなトランペットの音色。この旋律は、自由曲のソロ部分だ。

壁に隠れるようにして、コソコソと久美子は廊下をのぞく。どうやら先客がいたらしい。久美子のお気に入りの場所ではすでに、香織が楽譜を見ながら練習していた。まっすぐに伸びた背筋。その視線は譜面ではない遠いところへと向けられていて、彼女がソロ部分の楽譜を完全に覚えていることがうかがえた。

「……なんで、」

そうつぶやいた瞬間、背後から肩を叩かれた。ハッとして振り返ると、ペットボトルを二本抱えたあすかが、唇に人差し指を当てて笑っていた。彼女は声を出さないまま、小さく手招きする。階段を降りる彼女を呆然と眺めていた久美子だったが、ふと我に返り、慌ててそのあとを追った。

「見たな？」

三階に着いて早々、あすかは意地の悪い笑みを浮かべた。動揺して、久美子は言葉を詰まらせる。

「す、すみません。まずかったですか？」

「ふふ、冗談やって」

あすかはそう言って、階段へと腰かけた。手のなかにあるペットボトルは、香織のためのものなのだろうか。これから二人で練習するつもりだったのだろう。

「久美子ちゃんはなんでここに？」

「練習しようかと思いまして……」

「自主練？　ごめんな、先に場所取っちゃって」

そう言う割に、彼女に悪びれた様子はなかった。黒髪をひとつに束ねた先輩は、ぐっと大きく伸びをする。

「びっくりした？」

「え、」

「香織のこと。あの子、隠れてずっとソロの練習してんの」

秘密やけど、とあすかはわずかに目を細める。透明なレンズ越しに見える彼女の瞳には、なんの感情も映っていない。

「香織先輩は……やっぱり、その、」

「諦めきれへんみたいやな」

「そ、そうなんですか」

なんだか顔を見ていられなくなって、久美子は自身の足元ばかりを凝視する。行き場を失ったユーフォニアムが、困惑した様子で久美子のそばに寄り添っている。

「久美子ちゃんは確か、高坂さんと仲良かったな」

「あ、はい……」

「だからそんな微妙な顔してんの？　大丈夫やって、本番はどうせ高坂さんがソロやから」

なんでもないような口ぶりで、あすかは告げる。

「で、でも、」

「香織だってわかってるって、高坂さんのほうが上手いってことぐらい。それでも諦めきれへんのやろ。練習ぐらい見逃したって」

「いや、べつに私は責めるつもりじゃなくて、その……」

「ふふ、同情してんの？　香織先輩かわいそうって」

告げられた言葉は、確かに棘をはらんでいた。久美子は思わず唾を呑む。あすかはペットボトルを一本つかむと、その蓋をひねって開けた。なかの液体がゆらゆらと揺れる。透明な水面に、差し込む光が反射した。

「周りのやつらはなんか勘違いしてるけど、香織はべつに同情されたいわけでもないし、駄々をこねて自分がソロになりたいわけでもない。ただ、あの子は納得したいだけやねん」

「納得、ですか」

「そう」

あすかはそう言って、水を口に含んだ。襟からのぞく白い喉が、ごくごくと上下する。問おうか問うまいか。久美子はしばらく逡巡し、それからゆっくりと口を開いた。

「……先輩は、香織先輩の味方なんですか?」

そこで、あすかは水を飲むのをやめた。口から離した拍子に、水滴が床へと黒い染みを作る。彼女は手の甲で乱暴に口元を拭うと、それから少し困ったように笑った。

「なんでそんなこと聞くん」

「夏紀先輩が、あすか先輩は特別だって言ってたんで……ちょっと意外だっただけです」

てっきり今回も中立だと思ってたんで。久美子の言葉に、あすかは大袈裟《おおげさ》に肩をすくめてみせた。

「あの子はちょっとうちを買いかぶってるところがあるからなあ」

「そうなんですか?」

「そうそう。でもまあ、あながち間違ってはないけどな」

「どういう意味です？」

首を傾げた久美子に、あすかはくすりと笑みをこぼした。

「うちはべつに香織の味方でもないし、高坂さんの味方でもないよ。なんたって副部長やからね、そういう私的な意見を述べるのは望ましくないと思って」

あすかはそう言って立ち上がった。話は終わった、そういうことだろうか。

「じゃ、じゃあ、ここだけの話でいいので教えてください」

「何を？」

「あすか先輩の私的な意見を」

ここまで踏み込んでくると思っていなかったのか、あすかは一瞬だけその瞳を見開いた。しかしそれもすぐにいつもの笑みへと呑み込まれてしまった。彼女は愉しげにコロコロと喉を鳴らす。その人差し指が、彼女の赤い唇へと添えられた。

「内緒にできる？」

「で、できるだけ」

「素直やな」

あすかの手のなかで、ペットボトルがちゃぽちゃぽと音を立てる。透明な水面に浮かんだ白い泡が、形を残すこともなく消えていく。彼女の長い睫毛がぱちぱちと上下した。黒曜石のような瞳が、不意にこちらへ向けられる。

「正直言って、心の底からどうでもいいよ。誰がソロとか、そんなくだらないこと」

その声があまりにも冷たかったものだから、久美子はその場に凍りついた。反応を見て、あすかはふと口端を吊り上げる。彼女は久美子の肩を叩くと、追い返すようにその背を押した。

久美子よりもずっと長い指先が、ひらひらと宙に揺れている。閉ざされてしまった少女の口からは、もう何も聞き出せないだろう。久美子は無言で会釈した。ばいばい。彼女はそう言って階段の向こう側へと消えていってしまった。香織のもとに向かったのだろう。それを見届け、久美子もまた動き出す。

誰もいなくなってしまった階段を、久美子は黙って下りていく。普段どおりの笑みを浮かべているであろうあすかの後ろ姿に、こう問いかけてみたかった。本当は香織先輩のこと、応援したいんじゃないですか。だけど、できなかった。あの分厚い仮面を剥ぎ取るのは、自分ではきっと力不足なのだ。久美子はそっと息を吐く。繊細なトランペットの音色が、いまだ耳にこびりついて離れなかった。

コンクールの前日。この日は近所にある小ホールを借り切っての練習だった。入場、演奏、退場を、移動を含めて練習するためだ。黄檗山近くにある市営ホールは手頃な価格で貸し出しを行っているため、学生たちの強い味方となっていた。

「う、うるせー！」

耳をふさぎながら、葉月が叫ぶ。B部門に出場する彼女たちの本番は、A部門の本番の二日後の八月八日だった。今日の彼女たちの役目はA部門の楽器運搬の手伝いと、その演奏の鑑賞だ。移動しやすいようになのか、ジャージ姿の彼女は、ホールに鳴り響くサイレンの音にげんなりとした表情を浮かべていた。

「うるさいって言ったらあかんよ。まあ、うるさいけど」

梨子が背後で困ったように微笑む。いま、ホールのなかではパーカッションの最終調整が行われていた。『イーストコーストの風景』でもっともインパクトの強い楽器といえば、終盤で鳴り響くサイレンだ。この部分にサイレンホイッスルを使う学校も多いのだが、滝はわざわざ消防車が使うような手回しサイレンをほかの学校から借りてきた。彼いわく、音の重みが違うのだという。サイレンは大音量で鳴り響くため、決してミスは許されない。この重大な任務を請け負うこととなったパーカッションの一年生部員は、いまにも泣きそうな顔で滝の指導を受けている。

「久美子ちゃん、緊張して失敗するとかやめてや？」

隣の席で、あすかが意地の悪い笑みを浮かべている。久美子はピストンにオイルを差しながら、神妙な顔でうなずく。

「ぜ、善処します」

「なんか緑までドキドキしてきた！　ついに明日が本番かあ！」

何が楽しいのか、緑輝がキャーキャーと騒いでいる。彼女は本当に本番に強い。きっと心臓には剛毛が生えているのだろう。

「まあまあ、べつにソロがあるわけじゃあるまいし。テキトーに楽しみいな」

夏紀がニヤニヤしながらこちらを見ている。その背後で、卓也がうなずく。

「……頑張ろう」

「頑張ります」

まだ予行練習だというのに、なぜ自分は励まされているのだろう。そんなことを考えながらも、久美子は殊勝に相槌を打っておく。

ほかのパートを見てみると、各々で必要な練習を淡々とこなしていた。楽器の奏でる旋律がごちゃごちゃに混じり合って、膨大な音の粒たちは雑音となって膨れ上がる。端《はた》から聞いている分には騒音に感じるかもしれないが、渦中に巻き込まれているときにはまったく何も感じないのだから不思議だ。

ホールは舞台上だけが照らされていて、座席に観客の姿はない。小さい会場でもこれだけドキドキするのだから、本番での緊張はきっとすさまじいだろう。久美子は昔から、本番がとにかく苦手だった。緊張して頭が真っ白になるのだ。

コンクールの本番は毎年、京都市にある京都会館で行われる。会場は広く、当日になるとそこに多くの学生たちが詰め込まれる。いまこの瞬間も、あの会場ではコンクールが行われているのだろう。今日は京都大会の一日目だ。いったいどの学校が高評価を受けたのだろうか。知りたいような、知りたくないような。そんな複雑な気分だ。

「はい、では皆さん。パーカッションの確認を兼ねて、一度通しましょう」

サイレンの確認が終わったのか、滝が指揮台へと立つ。彼の声に、部員たちはそそくさと移動する。先ほどまでの騒々しさが嘘のように、ホールは一瞬で静かになる。痛いほどの静寂が、久美子の肩に食い込んできた。

「あの、」

不意に、会場の端で手が上がる。柔らかなその声音は、久美子にも馴染みのある声だった。

「なんです？　中世古さん」

滝が香織へと視線を向ける。

「もう一度、ソロ部分のオーディションをしてほしいんです」

香織は言った。その言葉に、部員たちが一斉にざわめいた。まさかこのタイミングで来るとは。ハッとして、久美子は麗奈のほうを見やる。その表情はいつもと変わらなかったが、楽譜に触れる指先は微かに震えていた。

「ですが、トランペットのメンバー全員をテストする時間なんてありませんよ。このホールも使用時間は決まっていますから」

滝の言葉に、優子が勢いよく立ち上がった。

「私は辞退します。ソロを吹く気はありません」

それに釣られたように、ほかの二、三年生も慌てて立ち上がる。麗奈は動かなかった。動揺を隠すように、彼女はじっと楽譜を凝視し続けている。滝は考え込むように目を伏せたが、やがて大きくため息をついた。彼がホールを見渡すだけで、先ほどのざわめきは嘘のように霧散する。

「わかりました。ではいまから中世古さんと高坂さんで、ソロ部分の再オーディションを行います。……いいですね？」

「はい！」

顧問の言葉に、香織が大きくうなずいた。

自由曲の『イーストコーストの風景』第二楽章の目玉は、なんといってもコルネットソロだ。美しい旋律が、壮大なメロディーを牽引《けんいん》していく。第三楽章と比べゆったりとした曲であるからこそ、音の美しさが重要になってくる。小手先のテクニックは通用しない。

「では先に中世古さんから演奏してください。冒頭部分に吹く場所がある人間は全員演奏すること。いいですね？」

「はい」

　滝の指揮棒が振り下ろされる。香織の繊細で柔らかな音楽が、ホールいっぱいに広がった。高音部分も、滑らかに吹くのが難しい音と音とのつなぎ目部分も、すべてが完璧な演奏だった。欠点が何ひとつ見当たらない。キラキラとまばゆい彼女の音色。それに浸るように、久美子は目を閉じる。香織の演奏は格段に上手くなっていた。血のにじむような努力の跡が、その演奏からはうかがい知れた。

「ずいぶんと上手くなりましたね、驚きました」

　演奏を終え、滝は微笑んだ。強張っていた香織の表情が、一気に華やいだものとなる。周りの部員たちからも、自然と拍手が巻き起こった。この後の演奏はやりづらいだろうな、そう思いながら、久美子は麗奈のほうを見た。彼女は心臓部分を手で押さえ、大きく深呼吸をしていた。麗奈でも緊張するのだな。そんな当たり前のことを、いまさらながら考えた。

「では、次は高坂さんの番です。準備はいいですか？」

「はい」

　麗奈がコルネットを構える。しゃんと伸びた背筋。まっすぐに先を見据える視線。滝の指揮棒が動き、麗奈は大きく息を吸い込む。

最初の一音目がラッパから飛び出た瞬間、久美子の耳は明確に先ほどとの差異を感じ取った。脳味噌をぶたれたような衝撃。高音が空気を揺らし、久美子の耳へと突き刺さる。迫力のある音色は、しかし美しい響きを保ったまま、まっすぐにホールを駆け抜けていく。同じ楽譜を見て同じ音を再現しているはずなのに、なぜ二人の演奏はこうも違うのだろう。そのしびれるような音に、久美子は思わず唾を呑んだ。心臓が震え、鳥肌が立つ。継ぎ目を感じさせない滑らかなメロディー。その音にまとわりつく、熱をはらんだ余韻。

演奏が終わっても、ホールはしんと静まり返っていた。誰も動かない。何も言わない。つい先ほどの演奏の残滓が、まだ空気中に残っている。

こんなの、と久美子は思った。こんなの、ズルい。こんなのが同級生だなんて。

「ありがとうございました」

滝の言葉に、麗奈が楽器を下ろす。そこで我に返ったように、部員たちはざわざわと動き始めた。合奏中だということを忘れたように、皆が口々に演奏の感想を言い合う。興奮しているのか、どの頬も紅潮していた。

「はい、静かにー」

滝がパンパンと手を打つ。騒がしかった部員たちも、そこでやっと静まる。滝は楽譜に何やら文字を書き込んでいたが、やがてゆっくりと香織のほうを見た。彼は笑顔のまま、静かに告げた。

「中世古さん、あなたがソロを吹きますか？」

あちこちから息を呑む音が聞こえた。麗奈は大きく目を見開き、ひどく傷ついた顔をした。その瞳が、くしゃりとゆがむ。滝だってわかっているはずだ。麗奈と香織のあいだには、越えられない壁がそびえ立っていることを。抗議の意味を込めて、久美子は滝をにらみつける。それでも滝は表情ひとつ変えず、香織を優しく見つめていた。

数秒の沈黙のあと、彼女は答えた。

「吹かないです」

うつむいた拍子に、その目から滴が落ちた。

「……吹けないです」

麗奈が驚いたように顔を上げる。香織はまっすぐに後輩を見つめた。その視線の力強さに、麗奈が珍しくたじろいだ。

「ソロは、あなたが吹くべきやと思う」

その声は震えていて、その瞳は赤かった。それはおそらく香織の本心であり、そして本心とはほど遠い感情だったに違いない。その手のなかにあるトランペットが無邪気にピカピカと輝いている。麗奈は口をつぐみ、それから小さく頭を下げた。長い黒髪がさらりと流れる。

「……あのときは、生意気言ってすみませんでした」

隣にいた優子が、驚いたように目を見開いた。いいの、と香織は目を伏せた。

「事実やから」

その声があまりにも真剣だったものだから、久美子はつい目を逸らしたくなった。

ただ、あの子は納得したいだけやねん。

不意にあすかの声が、耳元で蘇る。その言葉の意味を、久美子はここで初めて理解した。香織は多分、わかっていたのだ。自分の演奏が、麗奈に劣っていることを。それでも彼女は諦められなかった。きっと、香織は負けたかったのだ。圧倒的な差をつけられて、自分の心を折ってもらいたかった。負けを認めるために、彼女はいままでずっと練習を重ねてきたのだ。本番を迎えることのない、ソロパートを。

「高坂さん、」

おもむろに、滝が麗奈の名を呼んだ。はい、と彼女は反射的に返事したものの、その表情はいまだ強張っていた。

「あなたがソロです。中世古さんではなく、あなたがソロを吹く」

麗奈の指がピクリと動いたのが見えた。なだらかな弧を描いていた彼女の背が、ゆるりと伸びる。

「はい、」

そう答えた彼女の声には、覚悟と自信があふれていた。

滝は微笑むと、それから何食わぬ顔で楽譜へと視線を落とした。

「それでは仕切り直して、一回通してみましょうか」

彼の声で、合奏は再びスタートした。


「アンタは悔しくないわけ？」

中学最後のコンクール。あのとき、麗奈はそう言った。普段冷静な彼女が、あのときばかりは珍しく感情を露わにしていた。嗚咽を漏らす彼女を、久美子は無言でただ眺めていた。何も言うことができなかった。

中学時代、吹奏楽部を選んだのは惰性みたいなものだった。運動ができるわけでもないし、ほかに興味があるものもない。楽器に触れることが当たり前になっていて、音楽と縁が切れるのが怖かったから、だから吹奏楽部を選んだ。部活の練習は頑張ったけれど、そこまで真剣だったわけではなかった。周りがやっているから、自分もやるだけ。先輩に疎まれても手放せなかったこの居場所は、久美子にとって本当に大切なものというわけでもなかった。ただ失うのが怖かった。それだけ。

麗奈が泣いているとき、久美子は泣かなかった。それは久美子が結果に執着していなかったからだ。頑張っていなかったから。涙するほどの場所に、久美子が到達していなかったから。あのとき麗奈から目を逸らしたのは、そんな自分に気がついたからだった。中学校生活最後のコンクールだったのに。なのに。

久美子はあのとき、まったく悔しいと思わなかった。

これが最後の舞台練習です。そう滝は言った。小ホールの座席にはB編成の部員たちが座っていた。舞台上に集中する、真っ白なスポットライト。クーラーの効いたホール内で、この場所だけはひどく暑い。

「本番と思って演奏しましょう」

「はい！」

舞台袖では美知恵がストップウォッチを握っている。久美子は金色のユーフォニアムをつかみ、大きく息を吸った。肺が膨らみ、そしてしぼむ。

「京都府立、北宇治高校吹奏楽部」

美知恵がアナウンス代わりの声を発する。部員たちは一斉に動き出し、自身の持ち場へとスタンバイする。ユーフォニアムを膝の上に乗せ、久美子もまた席に着いた。

滝が指揮棒を構える。久美子は彼を凝視する。息を吸い込む音が聞こえる。一瞬の静寂。それを突き破るような、トランペットのメロディー。そこに重なるようにしてフルートやソロのメロディーが流れ込む。どっしりとしたチューバの音が、びりびりと空気を震わせた。もうすぐユーフォの出番だ。久美子はあすかと共に、倒していた楽器を構える。

息を吹き込むと音が鳴る。ピストンを押すと音が変わる。それだけのことがひどく楽しくて、そして難しい。指揮棒を見つめながら、久美子は必死で曲を追いかける。譜面の端々でフルートとクラリネットがすさまじいスピードで連符を駆け上がっていく。オーボエとファゴットの対旋律。メロディーは木管から金管へと移り変わり、そしてまた木管へと戻っていく。音の塊は収縮と膨張を繰り返し、クライマックスへと突入する。ホルンの華々しい音色、トロンボーンとユーフォニアムの力強い旋律に、トランペットのメロディーが乗りかかる。急激なクレッシェンド。その音量は一気に極限まで高められ、そして唐突に終わりを告げる。

課題曲の余韻が残ったままの状態で、部員たちは自由曲へと意識を移す。

しんと静まり返ったなかに、トロンボーンのハーモニーが響く。そこに流れる澄んだフルートのソロ。それを引き継ぐように、コルネットのソロは始まる。ゆるやかに進む音楽。空気へと溶けていく、あまりに美しい音色。それにほんの少しの彩りを添えるように、ユーフォニアムが音を紡ぐ。音と音が重なり合い、音楽はじわじわと盛り上がりを見せる。それは一度壮大な終わりを迎え、すぐさま第三楽章へと突き進む。

第三楽章は金管楽器の華々しいメロディーから始まり、そこに木管の連符が添えられる。課題曲の難解でつかみどころのないメロディーとは対照的な、陽気な音楽。メロディーを奏でる楽器はコロコロと移り変わり、旋律は絶え間なく動き続ける。音のひと粒ひと粒がきらめき、軽快なリズムを打ち鳴らす。騒がしかったメロディーは突如として静寂へと変化し、ホールにはゆったりとした音楽が流れる。調和の取れた、美しい旋律。それを遮る、けたたましいサイレン音。先ほどの静けさは一転し、再び場内に大音量が響き渡る。ゴールに向かい、演奏はどんどんと白熱していく。音楽は加速していき、その音は急激に膨れ上がる。盛り上がりを維持したまま、楽譜は終着へと突き進んだ。滝の指揮棒が終わりを告げた瞬間、演奏は最高点へと到達した。

「……完璧です」

滝は言った。彼の手放しの称賛など初めてのことで、部員たちは皆、驚いたように顔を見合わせた。目の前の座席では、Ｂ編成の部員たちが立ち上がって拍手している。完璧な演奏だったと、久美子は自分でも確信した。気持ちよかった。演奏に一切ズレがなかった。いままでに体験したことのない爽やかな快感が、久美子の首筋を吹き抜けていった。楽しいと思った。吹くのが楽しい！

「明日の本番も、この調子でいきましょう。大丈夫です。皆さんならできます」

彼はそう言って、指揮棒を台へと置いた。その瞳が、ぐるりと皆の顔を見回す。

「絶対、全国に行きますよ」

自信たっぷりに滝は告げた。その口端が不敵に持ち上がる。

全国に行けたらいいな。そう、久美子はずっと思っていた。中学生のころから、ずっと。だけどそれは口先だけの約束みたいなもので、本当に実現させようだなんて思ったことは一度もなかった。だって、期待すれば恥をかく。叶いもしない夢を見るのはひどく馬鹿げた行為だ。そう思っていたから。――だけど、願いを口にしなければ叶うことなんてありえない。

絶対、北宇治高校は全国に行く。

決意を固めるように、久美子は拳を握る。

「はい！」

真っ白なスポットライトの下で、部員たちの声が元気よく響いた。


コンクール当日。制服に身を包んだ部員たちは、皆、神妙な面持ちでバスへと乗り込む。朝早くに集まり、久美子たちは本番前の最後の通しを音楽室で行った。それから楽器を荷台へ詰め込み、忘れ物がないかの最終確認をする。パーカッションの楽器はひどく重いうえに持ち方まで指定されるため、積み込みだけで時間がかかる。

サンフェスのときはあんなにも騒々しかったというのに、今日のバスのなかはひどく静かだった。緊張しているのか、顔色が優れない生徒もいる。

「なあ、見てアレ！　また四葉タクシー見っけた！　これで絶対今日の演奏は上手くいくな！」

隣では緑輝が、無邪気に窓の外を見つめている。

「ふふー、早く演奏したいなあ！　緑、昨日わくわくしすぎて全然寝つけへんかってん！　ほんま楽しみ！」

「……緑って、本当すごいよね」

「えぇ？　何が？」

「いや、いろいろと」

久美子の言葉に、彼女は首をひねっている。その表情はあまりに普段どおりで、緊張の色が一切ない。じっと目の前の相手の顔を凝視していたら、何を思ったのか緑輝が久美子の頬を引っ張った。

「もしかして久美子ちゃん、緊張してる？」

「ひてはいほ」

「えー、絶対嘘だ」

そう言いながら、彼女はほっぺたから手を離す。コントラバスなんて巨大楽器を運んでいるぐらいだ、彼女は意外に力が強い。いまだヒリヒリする頬をこすりながら、久美子は緑輝のほうを見た。視線を感じてか、彼女はニッとその口角を持ち上げる。

「いい？　久美子ちゃんが緊張すんのは、失敗しちゃダメやって思うからやねん。そうじゃなくて、こう思ったらいいわけ。我の超絶テクニックを見よ！　って」

「……緑、いっつもそんなこと考えながら弾いてるの？」

「そうやでー。緑ってすっごい上手だから、いろんな人に褒めてほしいの！」

「そ、そう」

「うん！」

彼女はそう言って、屈託なく笑う。自分のことをこうして胸を張って語れる彼女のことを、久美子は少しだけうらやましく思った。

緑輝は愉しげな笑い声をこぼすと、それから課題曲を口ずさみ始めた。鳥のさえずりのような声が、コントラバスの楽譜を追う。それに釣られたように、久美子もまたユーフォニアムのメロディーを口ずさんだ。低音パートの二人では、曲の体を成さない。二人の声に反応したのか、後ろの席に座っていたあすかがやたらと大声で歌い出す。それに苦笑しながら、香織がトランペットパートを歌い始めた。三年生である二人が歌ったことで、周囲の部員たちも各々のパートを口ずさみ始めた。最初はよそよそしかった歌声も、次第に大きく、遠慮のないものへと変化する。バスのなかに鳴り響く大合唱。課題曲、自由曲、課題曲、自由曲。同じ曲が何度も何度も繰り返される。目的地に着くまでのあいだ、その歌声は一度として途切れることはなかった。

楽器をトラックの荷台から降ろし、部員たちは手早く本番の準備をする。楽器ケースを開き、久美子は自身の相棒を取り出した。クロスで磨き込んだユーフォニアムは、夏の日差しを浴びて太陽色に輝いている。考えてみれば、小学四年生のときからいままでずっと、ユーフォニアムと一緒だった。七年だ。七年も自分は、この楽器と共に生きている。

初めてその名を聞いたとき、冴えない楽器だなあと思った。地味だし、マイナーだし。見た目もあんまりカッコよくない。だけど、それでも久美子はユーフォニアムが好きだった。地味だし、マイナーだけど、その音は温かくて美しかった。ほかの楽器になりたいと何度も思った。だけど結局、ユーフォを選んでしまう自分がいた。久美子はユーフォニアムが好きなのだ。ただ好きなわけじゃない、大好きなのだ。そんなことを、いまさらながら自覚した。

「チューニング終わった？」

あすかがユーフォを抱えながら歩み寄ってくる。銀色の、月色をした楽器が、ぴかぴかと彼女の腕のなかで輝いている。金と銀。同じ楽器なのに、色が違うだけでずいぶんと印象が変わるものだ。

「あ、まだです」

「そうなん？　じゃあ、ちゃっちゃと終わらせてしまい」

「はい」

久美子はロングトーンを数回こなし、楽器が温まったところでチューニングした。あすかはそのあいだずっと久美子の隣にいて、その作業が終わるのを待っていた。

「先輩、ドキドキしてます？」

チューナーをポケットにしまい込みながら、久美子は尋ねた。彼女は眼鏡をかけ直し、照れたように小さく舌を出した。

「まあ、ちょっとだけな」

「私なんて昨日から緊張してますよ。緑はいつもどおりですけど」

「あの子はすごいからな」

そう言って、あすかはケタケタと笑い声を上げる。確かに、と久美子もうなずいた。

「……なんかさ、少し寂しいねんなあ」

「何がです？」

「こんな楽しかった時間も、もう終わってしまうんかと思って。本番が終わってほしくないわ。ずっとこのまま夏が続けばいいのにな」

あすかはそう言って、自嘲するような笑みをその口元に浮かべた。長い睫毛がゆるりと下がる。目を伏せるその仕草はなんだかひどく大人びていて、久美子にいくばくかの寂寥感《せきりょうかん》を抱かせた。それを振るい落とすように、久美子はブンブンと首を横に振る。

「何言ってるんですか、先輩」

「ん？」

「今日が最後の本番じゃありませんよ。私たちは全国大会に行くんですから」

久美子の言葉にあすかは大きく目を見張り、それからぷっと噴き出した。白いほっそりとした美しい指が、久美子の肩を優しく叩く。

「……そうやったな、そういや全国に行くのが目標やったわ」

「そうですよ」

「ふふ、お互い頑張ろうな」

彼女はそう言って、ひらひらと手を振った。白銀のユーフォニアムは、彼女の身体の一部みたいにしっとりとその手に溶け込んでいた。


本番が近づき、久美子たちは音出し用の小ホールへと移動した。会場ではすでにコンクールが始まっているので、音を出していい場所が指定されているのだ。リハーサル用に用意された小ホールは会場である大ホールに近く、実質的にここが本番前に音を出せる最後の場所だ。

「皆さーん、合わせますよー」

滝が、パンパンと手を打ち鳴らす。今日の彼は普段と違い、黒スーツでピシッと決めていた。その姿は非常に凛々しく、廊下ですれ違うたびに他校の部員たちが黄色い歓声を上げていた。

「合奏する時間はないので、とにかく最初の入りを確認します」

「はい！」

それから何度も課題曲と自由曲の初めを繰り返し、北宇治高校の練習時間は終わった。

金管楽器でもっとも怖いのは、最初の音を外すことだ。高音になればなるほどそのリスクが高くなる。最初でコケてしまうとそこから立ち直るのは難しい。だからこそ滝は重点的に最初の部分を練習させたのだろう。

「普段どおりの力を出せば、おのずと次の道へ進めます。練習以上の力を出そうなどと思い上がってはいけません。いつもどおりに演奏して、そして笑顔で帰りましょう」

「はい！」

部員たちは皆、精悍《せいかん》な顔つきをしていた。それを満足そうに眺め、滝はゆっくりと微笑した。

「では小笠原さん、部長として最後にひとつ、何か声をかけてください」

「ええっ！　私ですか」

突如指名された部長が、驚きの声を上げる。その視線が、救いを求めるようにあすかに向けられた。しかしあすかはそんな視線の意味などまったく意に介していないようで、彼女にピッと親指を立てた。頑張れ、ということらしい。

「あ、えっと……」

逡巡するように、小笠原は一度口ごもった。うろたえたように、その視線が右へ左へと揺れ動く。やがて意を決したように、ぐっとその拳を握った。

「い、いままで本当にみんな頑張ってくれたと思います。あとはその頑張りを本番の十分間にぶつけるだけです。……それでは皆さん、ご唱和ください」

彼女はそこで一度、大きく息を吸った。その肺が、ゆっくりと膨らむ。

「北宇治ファイトー！」

「オー！」

一丸となった声が、ホールのなかへとこだました。打ち上げられた熱量が、びりびりと空気を震わせる。

「北宇治高校の皆さん、お時間です」

スタッフの女性が、扉を開く。この扉が開いた瞬間から、音を出すのは禁止となる。

目の前にある薄暗い階段、ここを上れば舞台裏へとたどり着く。周りがぞろぞろと動き出しているなか、久美子はそこにとどまっていた。その肩を不意に叩かれる。

「本番、頑張ろうな」

そう声をかけて颯爽と隣を通り過ぎていったのは、トランペットを提げた麗奈だった。ソロがあるというのに、彼女はひどく落ち着いて見える。今年こそ、彼女が泣かないで済みますように。そんなことを考えながら、久美子はその足を踏み出した。


舞台ではすでに立華高校が演奏を始めていた。暗幕で遮られてはいるが、端のほうから彼らの華々しい勇姿がのぞき見える。彼らの演奏はすでに自由曲へと移っており、それはすなわち北宇治高校の出番が近いことを意味していた。皆が無言でその演奏に耳を傾けているなか、久美子は端のほうで自身の心臓を押さえ込んでいた。

本番が近づくにつれ、鼓動の音はどんどんとうるさくなってきた。それはドキドキなんて可愛らしいレベルではなく、もはやバクバクに近かった。中学のころだって本番は緊張していたけれど、いまはその比ではない。舞台裏は暗く、しかし舞台だけが煌々と明るく輝いている。もうすぐ自分があの場所に立つのだと考えただけで、久美子の心臓は早鐘を打った。嫌な汗が額からこぼれ落ちる。演奏なんてまったく耳に入ってこなかった。手が震える。

あれ、あのメロディーってどうやって吹くんだっけ。指ってどうやって動かすの。当たり前のことが脳味噌からスコンと突然抜け落ちる。ひとつ不安を見つけると、不安はどんどん飛び火していった。覚えていたはずのことが、意識せずにできていたことが、突如としてできなくなる。どうしよう、楽器の吹き方を忘れてしまった！　混乱の熱が、脳にこびりついていた冷静さをかき消していく。立華高校の演奏は、すでにクライマックスへと向かっていた。その演奏もそろそろ終わる。どうしよう、吹けない。こんなことは初めてだ。目の前が真っ暗になる。舞台から逃げ出したい。そんな欲求すら思考をよぎった。どうしよう、どうしよう、どうしよう！　不安が意識を支配する。身体中の熱が目へと集まってきて、久美子はそれを漏らさぬように自身の顔を覆い隠した。

「おい、」

突然ぐいとシャツを引かれ、久美子は思わず振り返った。すると、秀一がすぐそこに立っていた。こんなふうに顔を突き合わせたのはずいぶんと久しぶりな気がする。

舞台裏では声を出してはいけないからその配慮だろう、彼は久美子の耳元に口を近づけると、ささやくように言った。

「大丈夫かよ」

「べつに、問題ない」

久美子は静かに首を振る。彼は眉間に皺を寄せ、不機嫌そうな顔をした。

「問題ないって顔じゃねえけど」

「ちょっと緊張してるだけだよ」

「ちょっとねえ」

彼はそう言って、呆れたように息を吐く。長いあいだこちらを避けていたくせに、彼の行動はあまりに普段どおりだった。それがなぜだか苛ついて、久美子は無言のままその足を踏む。痛っ、と秀一が口だけを動かした。

「いきなり何すんだよ」

「べつに」

「ひでえやつ」

秀一が肩をすくめる。その口端がわずかに綻んでいるのを見て、久美子は何も言えなくなった。彼の言動が何を意図しているか、気づいたからだ。秀一が荒っぽい動きで、久美子の背を叩く。その指先は、震えていた。

「大丈夫だって、あんなに練習したんだからさ」

立派なことを言っている割に、楽器に映った彼の顔はなんとも情けないものだった。それを見たらなんだか可笑しさが込み上げてきて、ピンと張りつめていた緊張が緩んだのがわかった。冷え切っていた指先に熱がともる。不安で押し潰されていた脳味噌が、そこでやっと回転し始めた。

暗幕の向こう側から、割れんばかりの拍手が聞こえてくる。薄暗い視界のなかで、秀一の表情が強張ったのが見えた。久美子はぎゅっとユーフォニアムを抱き締める。腕のなかの金色のラッパが、光のないはずの空間できらりと光った。大丈夫だ、自分はやれる。むくむくと湧き上がってきた確信は、なぜだかひどく温かで。この気持ちを分けてあげたくて、久美子はそっと秀一の指に触れた。彼は息を呑み、それから驚いたようにこちらを向いた。目と目が合う。重なった指先が、おずおずと複雑に絡まり合う。触れ合った皮膚と皮膚からは、じんわりと熱が伝わってきた。


「――続いての演奏は、プログラム33番、京都府立北宇治高等学校です」


アナウンスの声が入り、部員たちは一斉に動き出す。久美子はユーフォニアムの席へ、秀一はトロンボーンの席へ、自身の役目を果たすため持ち場へと移動する。会場の照明は落とされ、ぼんやりとした闇がそこにはただ広がっている。

「演奏曲は、ナイジェル・ヘス作曲『イーストコーストの風景』、指揮は滝昇です」

アナウンスの声と共に、舞台に光が注がれる。滝が頭を下げると、会場から弾けるような拍手が起こった。彼は頭を上げると、それから指揮台へと上がった。さんさんと燃えるような光が、舞台上にはあふれていた。この場所はいつだってそうだった。まぶしくて、ほかの何も見えなくなる。観客も、審査員も。余計なものすべてが吹き飛ばされて、ただ音楽だけが残される。

しんと、静寂が満ちる。ざわめきが消滅し、人々の視線は舞台へと集中する。この場所だけが世界のすべてだ。そんな気すらした。指揮棒が上がり、皆が楽器を構える。ホール中の熱が一点に集中する。ヒリヒリと喉を焼くような緊張感。これから始まるたった十二分間のために、部員たちはすべてを捧げてやってきた。勝ちたいと、久美子は心の底から思う。腕のなかのユーフォニアムが、呼応するかのように瞬いた。

そしていま、指揮棒は振り下ろされる。

北宇治高校の夢をはらんだ音楽は、いままさに始まったばかりだった。

エピローグ

何百という顔が、一様に同じ方向を見つめていた。広場に渦巻く熱を帯びた空気が、少女たちの頬を赤く染め上げる。はやる気持ちを抑えようと、久美子はゆっくりと息を吐き出した。どくどくと、心臓の鼓動が鼓膜を打つ。握り締めた手のひらは汗で張りつき、食い込んだ爪先が皮膚の上に三日月形の痕を作った。

「うわあ、めっちゃドキドキする！」

隣にいた緑輝が無邪気な顔でそう叫んだ。その隣では、緊張のあまり葉月がいまにも泣きそうな顔をしている。

京都府吹奏楽コンクール。

立て看板に並ぶシンプルな文字。嫌いになってしまうくらい、何度も何度も目にしてきた文字だった。

「来たっ」

誰からともなく声が漏れる。大きな紙を抱えた男たちが、ゆっくりと前へ進み出る。皆の視線がそこに集中する。胸のなかでは心臓が蚤みたいに飛び跳ねていた。頭に熱が回って卒倒しそうだ。紅潮した頬を両手で押さえ、久美子もまたその紙を見つめた。

男たちの手で、ゆっくりと紙が広げられる。並んだ高校名。その隣に書かれた、金、銀、銅の文字。自分の学校は……そう考えるより先に、久美子の背中に衝撃が走った。

「久美子！」

とっさに振り返る。後ろから抱きついてきたのは、目を真っ赤にした麗奈だった。その瞳からひっきりなしに大粒の光がこぼれていく。

「え、」

その表情を見た瞬間、心臓がギシリときしんだ。またダメだったのか。また、彼女を泣かせてしまったのか。言葉を発することもできず、久美子はただ息を呑んだ。麗奈の細い腕が、久美子の首に絡まる。

「関西！」

予想外の言葉に、久美子は思わず「……え？」と聞き返した。麗奈は自身の目を乱暴な動きでこすると、それからもう一度ぎゅうと久美子を抱き締めた。

「関西！　アタシら関西行ける！」

彼女の声が、ゆっくりと耳のなかを進んでいく。脳味噌がその言葉を処理するまで、ほんの少し時間がかかった。久美子の瞳が、ゆっくりと見開かれる。その背後で、葉月が悲鳴じみた歓声を上げた。

「うわあ！　関西や！」

それに感染したかのように、あちこちで黄色い悲鳴が上がる。久美子は思わず麗奈の顔を見た。彼女の頬は真っ赤で、いつもの冷静さなどそこには皆無だった。

「信じられへん！　関西やで関西！　久美子！」

「うん、本当だね」

「うれしすぎて死にそう！　ほんまに！」

彼女はそう言って、はにかむような笑みを浮かべた。その笑顔を見た瞬間、久美子は足から力が抜け落ちるのを感じた。麗奈が大きく目を見開く。

「ちょっ、大丈夫？」

喉が熱い。ぎゅっと締めつけられるような感覚は、久美子の唇から言葉を奪った。麗奈が心配した様子でこちらの顔をのぞき込んでくる。久美子は何か言葉を発しようと口を開き、しかしそこから出たのはひどく静かな吐息だけだった。頭がくらくらする。手の力が入らない。すがるように、久美子は目の前の少女の手を握り締めた。視界がにじむ。何か熱いものが、目の表面に居座っていた。

「……ほんとに、ほんとによかった」

やっとのことで、久美子はそれだけを言った。目元を手で拭うと、皮膚の表面にきらきらとした滴が馴染んだ。

「麗奈、私、ほんとにうれしい」

久美子の言葉に、彼女は大きくうなずいた。

「アタシも！」

そう叫んで、彼女は再び久美子に抱きついた。

部員たちのざわめきはそれからしばらくは収まらなかった。騒いでいた部員たちが一斉に顧問のほうへと顔を向ける。それを見かねてか、滝の正面でパンパンと手を打ち鳴らした。普段どおりの滝の隣で、副顧問の美知恵がティッシュを片手に号泣していた。滝は部員たちの顔をぐるりと見渡すと、茶目っ気たっぷりに微笑んだ。

「なんだかこれで大団円みたいな空気ですけど、明日から関西大会に向けての練習を始めますからね。私たちの目標は全国大会です。これで終わりにならないよう、気を引き締めて頑張りましょう」

滝はそう言って、目を細めた。その瞳がわずかに潤んでいることに、久美子はそこで初めて気がついた。なんだか妙にこそばゆい。早く楽器が吹きたい。むくむくと湧き上がる欲求が、久美子の胸を震わせた。

「では、明日は九時から音楽室で練習です。次も勝ちますよ！」

その言葉に、久美子は大きく息を吸い込む。

「はい！」

夏の青空の下に、部員たちの声が大きく響き渡った。

この物語はフィクションです。もし同一の名称があった場合も、
実在する人物、団体等とは一切関係ありません。
本書は書き下ろしです。

宝島社
文庫

響け！ ユーフォニアム
北宇治高校吹奏楽部へようこそ
（ひびけ！ ゆーふぉにあむ　きたうじこうこうすいそうがくぶへようこそ）

2013年12月19日　第1刷発行
2015年 2 月10日　第4刷発行

著　者　武田綾乃
発行人　蓮見清一
発行所　株式会社 宝島社
〒102-8388　東京都千代田区一番町25番地
電話：営業 03(3234)4621 ／編集 03(3239)0599
http://tkj.jp
振替：00170-1-170829 (株)宝島社
印刷・製本　株式会社廣済堂

ISBN978-4-8002-1747-9